BIAO ZHUN ZHONG WEN

标准中文

第一级　第三册

课程教材研究所　编著

zhōng wén xué xiào
———————中文学校

xìng　　míng
姓　名 ———————

人民教育出版社

图书在版编目(CIP)数据

标准中文:第一级　第三册/课程教材研究所编.—北
京:人民教育出版社,1998
ISBN 7-107-12459-5

Ⅰ.标…
Ⅱ.课…
Ⅲ.对外汉语教学-教材
Ⅳ.H195.4

中国版本图书馆 CIP 数据核字(98)第06280号

标 准 中 文

BIAO ZHUN ZHONG WEN

第一级　第三册

DI YI JI · DI SAN CE

课程教材研究所　编著

*

人民教育出版社 出版发行
(中国北京沙滩后街55号　邮编:100009)
网址:http://www.pep.com.cn
Fax No·861064010370
Tel No·861064035745
北京民族印刷厂印装

*

开本:890毫米×1240毫米　1/16　印张:9.5
1998年7月第1版　2002年12月第4次印刷
ISBN 7-107-12459-5/G·5569

说　明

　　一、标准中文系列教材是为中国赴美国、加拿大等海外留学人员子女和其他有志于学习中文的青少年编写的。全套教材包括《标准中文》九册（分三级，每级三册），《练习册》十二册（分 A、B 本，与第一、第二级课本配套），《语文读本》三册（与第三级课本配套），以及《教学指导手册》、录音带、录像带等。这套教材由中国课程教材研究所编写，人民教育出版社出版。

　　二、这套教材期望达到的学习目标是，学会汉语拼音，掌握 2000 个常用汉字，5000 个左右常用词，300 个左右基本句，能读程度相当的文章，能写三四百字的短文、书信，具有初步的听、说、读、写能力，有一定的自学能力，能在使用汉语言文字地区用中文处理日常事务，并为进一步学习中文和了解中国文化打下坚实的基础。

　　三、教材编者从学习者的特点出发，在编写过程中努力做到加强针对性，注重科学性，体现实用性，增加趣味性。使教材内容新颖、丰富，练习形式多样，图文并茂，方便教学。

四、本册课本是《标准中文》第一级第三册。要求学习者复习巩固汉语拼音，学会298个常用汉字，376个常用词语，30个基本句式，能用普通话熟读每课内容，能仿照基本句说句子，能在观察图画、观察事物或阅读课文的基础上，说几句话。能写一两句话。

五、本册共有30课，分10组编排。每组3课，每课包括会话（或短文）、基本句、要求掌握的生字词、练习和精美的图画。会话围绕主人公在不同场景的活动编写。会话和短文包括学校生活、家庭生活、同学交往、认识自然、了解社会等内容，力求能引起学习者的兴趣，有利于训练语言，并适当介绍中国文化。练习侧重于字、词、句的复习巩固和观察、阅读、说话能力的培养。本册全文注汉语拼音。书后附有生字表和词语表。生字表注有相对应的繁体字。

六、与本册课本配套的有《练习册》和《教学指导手册》。《练习册》可以用来巩固所学知识，练习书写生字、新词，进行阅读和听话、写话训练。《教学指导手册》可供教师教学和家长辅导学生时参考。在适当的时候，本册还将配有录音带和录像带，供教师教学和学习者自学之用。

目 录

1 我们的作品

老师：假期里，你们都做什么了？

大卫：妈妈带我到欧洲旅游，我拍了许多照片。

小云：我跟爸爸学画画，学会了画小动物。

老师：很好，我们举办一次作品展览吧。

大卫：什么时候交作品？

老师：今天星期六。下星期五以前拿来就可以。

小云：什么时候展出？

老师：下星期六。家长也可以来看。

大卫：太好啦！我一定让爸爸、妈妈来。

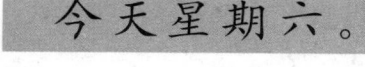

今天星期六。

作	品	假	照	片	举	展	览	交	让

（舉）　（覽）　（讓）

liàn xí
练 习

一、bǐ yì bǐ 比一比，dú yì dú 读一读。

上 —— 让	校 —— 交	作 —— 昨
白 —— 拍	会 —— 云	很 —— 跟

二、dú yì dú 读一读，jì yí jì 记一记。

长 zhǎng ＜ 家长　校长

长 cháng ＜ 长城chéng　长尾巴

"长"字有两个读音dú yīn，它是多音字。

三、dú cí yǔ 读词语。

作品　照片　假期　展览　展出

画画　旅游lǚ　举办　可以　以前

四、照 样 子 找 一 找 ， 读 一 读 。
zhào yàng zi zhǎo yì zhǎo　　dú yì dú

| 拍 |
| 学 |
| 画 |

交　作品

| 动 物 wù |
| 照 片 |
| 画 画 |

五、读 句 子 ， 说 句 子 。
dú jù zi　shuō jù zi

今 天 星 期 六 。
jīn tiān xīng qī liù

明 天 28 号 。
míng tiān　　hào

现 在 五 点 十 分 。
xiàn zài wǔ diǎn shí fēn

小 云 九 岁 。
xiǎo yún jiǔ suì

今 天 ＿＿＿＿＿ 。
jīn tiān

爸 爸 ＿＿＿＿＿ 。
bà ba

2 借 书

小云：海伦，你来借书吗？

海伦：是的。

小云：书架上摆着许多新书。你可以去看看。

海伦：小云，你借的是什么书？

小云：我借的是《孙悟空大闹天宫》。

海伦：孙悟空是谁？

小云：听爸爸说，孙悟空是个猴子。它会七十二变，打败了许多妖怪，本领可大啦！

海伦：真有意思，你看完了，我也借这本书看看。

书架上摆着许多新书。

借	架	摆	许	猴	变	败	领	啦	完

(擺)(許)　(變)(敗)(領)

练 习

一、读一读，说一说。

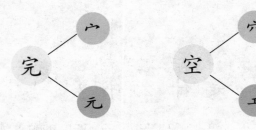 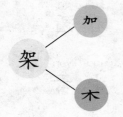

二、看一看，记一记。

借	亻	仁	仵	供	借
摆	扌	护	挃	挃	摆
领	今	令	令	令	领

三、读词语。

书架　　新书　　本领　　猴子　　可大啦

摆着　　许多　　打败　　看看　　太好啦

四、读一读。

借　借书　我去图书馆借书。

领　本领　孙悟空会七十二变，本领真大！

许　许多　动物园里有许多猴子。

五、读句子，注意书名号的用法。

小云借了一本《孙悟空大闹天宫》。

我买了一本《新编小学生字典》。

六、读句子，说句子。

书架上		许多新书。	
窗台上		一盆花。	
桌子上	摆着	水果。	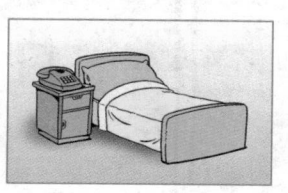
		蛋糕。	
柜子里		。	
		。	

3 做贴画

小云：海伦，给你看一幅贴画。

海伦：呀！这两条金鱼像活的一样，真好看。是买的吗？

小云：不是。是我用树叶做的。

海伦：怎么做的？

小云：先在纸上画图形，再选好树叶，按图形剪剪贴贴，最后放在玻璃板下面压平。

海伦：贴画只能用树叶做吗？

小云：不，用碎布也能做。

海伦：我回家也做一幅，做好了给你看。

我也做一幅贴画。

贴	幅	纸	图	形	选	按	板	压	布
(貼)		(紙)	(圖)	(選)				(壓)	

练习
liàn xí

一、比一比，读一读。
bǐ yì bǐ dú yì dú

开——形　　口——回　　板——饭

先——选　　冬——图　　贴——败

二、读一读，注意带点的词。
dú yì dú zhù yì dài diǎn de cí

一本书　　一个书架

一条金鱼　　一幅贴画

三、读词语。
dú cí yǔ

白纸　　图形　　按照　　碎布
　　　　　　　　　　　　suì

红纸　　图书　　按时　　布娃娃

四、读一读。
dú yì dú

贴画　做贴画　我用树叶做贴画。
shù

图形　画图形　我先画图形，再选树叶。

展览　看展览　大卫，你去看展览吗？

五、读句子，说句子。
dú jù zi　shuō jù zi

我也做一幅贴画。
wǒ yě zuò yì fú tiē huà

你做贴画，我也做贴画。
nǐ zuò tiē huà　wǒ yě zuò tiē huà

你踢球，他也踢球。
nǐ tī qiú　tā yě tī qiú

——去图书馆，——也去图书馆。
qù tú shū guǎn　yě qù tú shū guǎn

海伦————，大卫也————。
hǎi lún　dà wèi yě

————，——也————。
yě

13

tāng mǔ tiào guò qù le
4　汤姆跳过去了

xiǎo yún　　　tiào gāo bǐ sài zhǐ shèng xià dān ní hé tāng mǔ
小云：跳高比赛只剩下丹尼和汤姆

liǎng gè rén le
两个人了。

dà wèi　　　xiàn zài de gāo dù shì duō shǎo
大卫：现在的高度是多少？

xiǎo yún　　　shì yì mǐ
小云：是一米。

dà wèi　　　dān ní tiào guò qù le
大卫：丹尼跳过去了。

14

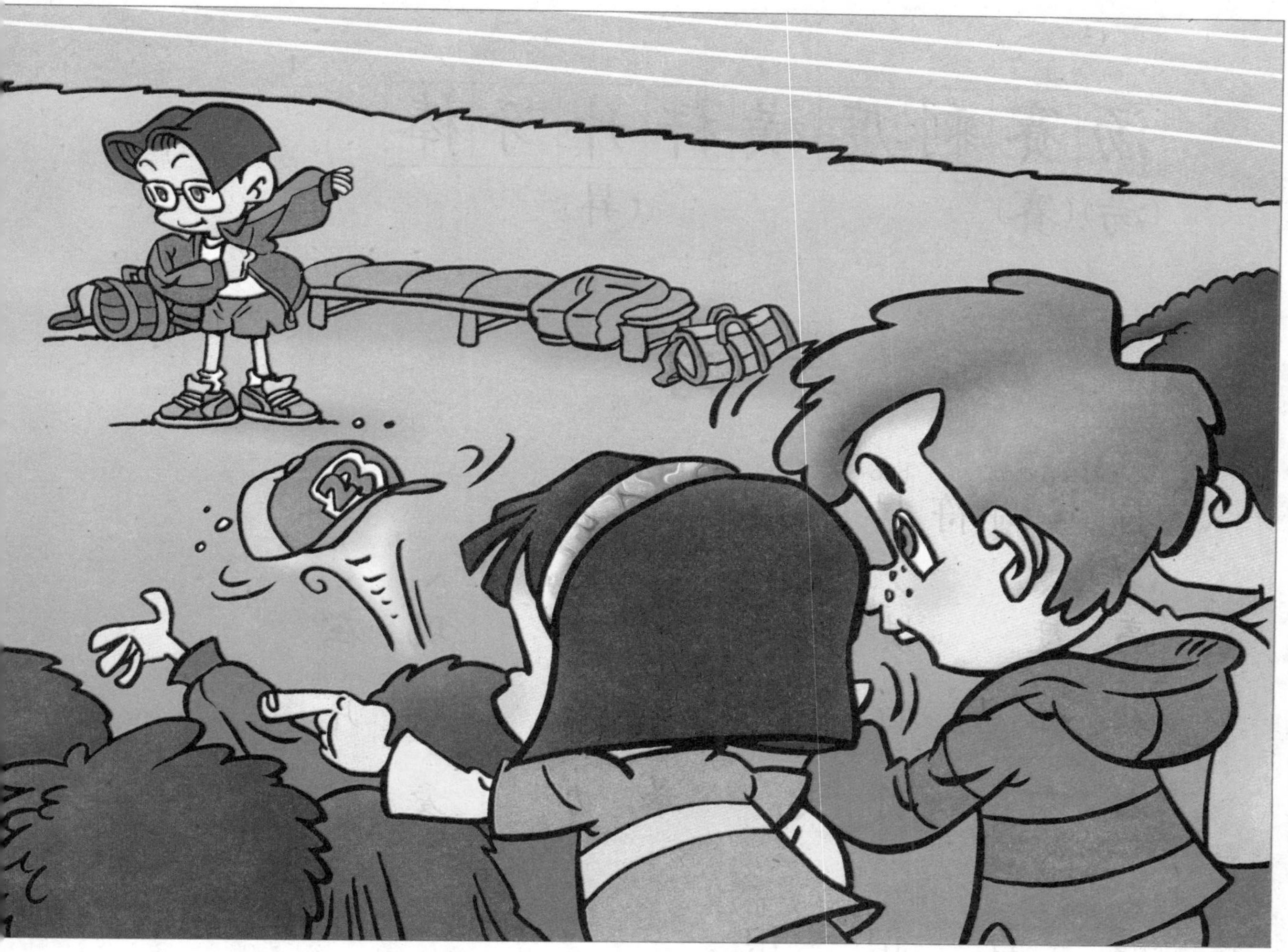

小云：汤姆也跳过去了。

大卫：横杆升到一点一米了。

小云：呀！丹尼没跳过去，就看汤姆的了。

大卫：汤姆起跳了，跳过去了！

小云：汤姆真棒！

丹尼跳过去了。

汤	赛	剩	度	横	杆	升	呀	棒

（汤）（赛）　　　　　　　　　　（昇）

练 习

一、看声调符号，读准字音。

一	丶	丿	一	ˇ	丶	丶	丶
高	度	横	杆	比	赛	现	在
真	棒	回	家	打	败	照	片
书	架	明	天	举	办	爱	护

二、看一看，记一记。

度	广	广	庐	庐	度
赛	宀	宀	宲	宲	赛
剩	千	禾	乘	乘	乘	剩

三、比一比，读一读。

干 —— 杆　　　午 —— 许　　　汤 —— 场

牙 —— 呀　　　见 —— 现　　　变 —— 弯

dú jù zi　shuō jù zi

四、读句子，说句子。

丹尼跳过去了。
dān ní tiào guò qù le

小云跑过来了。
xiǎo yún pǎo guò lái le

汽车开回来了。
qì chē kāi huí lái le

＿＿＿飞过去了。
fēi guò qù le

＿＿＿过来了。
guò lái le

大卫＿＿＿＿＿＿＿。
dà wèi

五、看图说一两句话。
kàn tú shuō yì liǎng jù huà

5　我喜欢打网球

汤　姆：白老师，昨天您看网球比赛了吗？

白老师：看了，比赛很精彩。迈克打得棒极了。

汤　姆：迈克发球好，还打出许多好球。

白老师：他的步子灵活，跑动快，救了很多险球。汤姆，你也喜欢打网球吗？

汤　姆：喜欢。我常常和爸爸一起打网球。

白老师：下星期，你把球拍带来。上完课，咱们一起打。

汤　姆：太好了。

你把球拍带来。

19

网	球	您	发	灵	救	险	常	把	咱
(網)			(發)	(靈)		(險)			

练习

一、读一读，说一说。

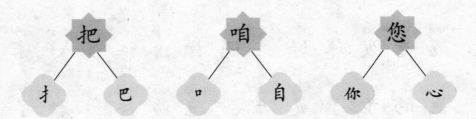

二、读词语。

网球　球拍　发球　许多　常常

比赛　精彩　跑动　灵活　咱们

三、照样子连起来读一读。

看	网球	步子	新鲜
打	险球	比赛	灵活
救	比赛	空气	精彩

四、读一读，想想每组两句话的意思有什么不同。

你打网球吗？

你喜欢打网球吗？

我和爸爸一起打网球。

我常常和爸爸一起打网球。

五、读句子，说句子。

nǐ 你		qiú pāi dài lái 球拍带来。
wǒ 我	bǎ 把	qiú dài lái 球带来。
hǎi lún 海伦		zhào piàn ná zǒu le 照片拿走了。
		shū hé shàng 书合上。
bà ba 爸爸		。
		。

6 看篮球比赛

爸爸： 小云，电视里正在播放NBA篮球赛。你快来看。

小云： 哪两个队比赛？

爸爸： 洛杉矶湖人队和芝加哥公牛队。

小云： 穿白色球衣的是哪个队？

爸爸： 是芝加哥公牛队。你看，公牛队的乔丹跳得多高，扣篮动作多漂亮。

小云： 哪个是乔丹？

爸爸： 现在拿球的就是乔丹。他穿的是23号球衣。

小云： 哦，知道了。看，乔丹又跳起来扣篮了。

电视里正在播放篮球赛。

篮	播	湖	芝	哥	穿	跳	扣	漂

（篮）

练习 (liàn xí)

一、照样子说一说。 (zhào yàng zi shuō yì shuō)

氵——湖 漂 汤

扌——扣 播 按

足——跳 跑 踢

竹——篮 答 等

"让、许、话"
都是言字旁（yán páng）的字。

二、看一看，记一记。 (kàn yí kàn，jì yí jì)

芝	艹	艹	芝	芝		
跳	𧾷	𧾷	𧾷	跳	跳	跳
播	扌	扌	护	押	採	播

三、比一比，读一读。 (bǐ yì bǐ，dú yì dú)

口	路口	哥	芝加哥	篮	篮球
扣	扣球	歌	唱歌	蓝	蓝天

24

四、<ruby>连<rt>lián</rt></ruby> <ruby>起<rt>qǐ</rt></ruby> <ruby>来<rt>lái</rt></ruby> <ruby>读<rt>dú</rt></ruby> <ruby>一<rt>yì</rt></ruby> <ruby>读<rt>dú</rt></ruby>。

看 ⟨ 电视 / 展览

穿 ⟨ <ruby>鞋<rt>xié</rt></ruby> / 球衣

动作 ⟨ 漂亮 / 灵活

正在 ⟨ 看书 / 打电话

五、<ruby>读<rt>dú</rt></ruby> <ruby>句<rt>jù</rt></ruby> <ruby>子<rt>zi</rt></ruby>，<ruby>说<rt>shuō</rt></ruby> <ruby>句<rt>jù</rt></ruby> <ruby>子<rt>zi</rt></ruby>。

<ruby>电<rt>diàn</rt></ruby> <ruby>视<rt>shì</rt></ruby> <ruby>里<rt>lǐ</rt></ruby> <ruby>正<rt>zhèng</rt></ruby> <ruby>在<rt>zài</rt></ruby> <ruby>播<rt>bō</rt></ruby> <ruby>放<rt>fàng</rt></ruby> <ruby>篮<rt>lán</rt></ruby> <ruby>球<rt>qiú</rt></ruby> <ruby>赛<rt>sài</rt></ruby>。

<ruby>大<rt>dà</rt></ruby> <ruby>卫<rt>wèi</rt></ruby> <ruby>正<rt>zhèng</rt></ruby> <ruby>在<rt>zài</rt></ruby> <ruby>放<rt>fàng</rt></ruby> <ruby>风<rt>fēng</rt></ruby> <ruby>筝<rt>zheng</rt></ruby>。

<ruby>妈<rt>mā</rt></ruby> <ruby>妈<rt>ma</rt></ruby> <ruby>正<rt>zhèng</rt></ruby> <ruby>在<rt>zài</rt></ruby> <ruby>做<rt>zuò</rt></ruby> <ruby>饭<rt>fàn</rt></ruby>。

<ruby>正<rt>zhèng</rt></ruby> <ruby>在<rt>zài</rt></ruby> <ruby>做<rt>zuò</rt></ruby> <ruby>操<rt>cāo</rt></ruby>
_____正在做操。

<ruby>小<rt>xiǎo</rt></ruby> <ruby>云<rt>yún</rt></ruby> <ruby>正<rt>zhèng</rt></ruby> <ruby>在<rt>zài</rt></ruby>
小云正在_____。

<ruby>正<rt>zhèng</rt></ruby> <ruby>在<rt>zài</rt></ruby>
_____正在_____。

7　秋天
qiū tiān

天那么高，那么蓝。高高的蓝天
tiān nà me gāo，nà me lán。gāo gāo de lán tiān

上飘着几朵白云。
shàng piāo zhe jǐ duǒ bái yún

蓝天下是一眼望不到边的稻田。
lán tiān xià shì yì yǎn wàng bú dào biān de dào tián

稻田旁边有棵梧桐树。一片片黄叶从
dào tián páng biān yǒu kē wú tóng shù。yí piàn piàn huáng yè cóng

树^{shù}上^{shàng}落^{luò}下^{xià}来^{lái}。蚂^{mǎ}蚁^{yǐ}爬^{pá}到^{dào}落^{luò}叶^{yè}上^{shàng}，来^{lái}回^{huí}
跑^{pǎo}着^{zhe}，把^{bǎ}它^{tā}当^{dàng}作^{zuò}运^{yùn}动^{dòng}场^{chǎng}。

稻^{dào}田^{tián}那^{nà}边^{biān}飞^{fēi}来^{lái}两^{liǎng}只^{zhī}燕^{yàn}子^{zi}，看^{kàn}见^{jiàn}树^{shù}
叶^{yè}往^{wǎng}下^{xià}落^{luò}，一^{yì}边^{biān}飞^{fēi}一^{yì}边^{biān}叫^{jiào}，好^{hǎo}像^{xiàng}在^{zài}说^{shuō}：
"电^{diàn}报^{bào}来^{lái}了^{le}，催^{cuī}我^{wǒ}们^{men}赶^{gǎn}快^{kuài}到^{dào}南^{nán}方^{fāng}去^{qù}呢^{ne}！"

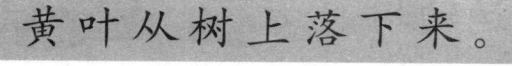

黄叶从树上落下来。

飘	望	稻	田	黄	落	爬	运	报	赶

(飘)　　　　　　　　　　　　　　(运)(报)(赶)

练习

一、比一比，读一读。

云 —— 运　　横 —— 黄　　飘 —— 漂

干 —— 赶　　穿 —— 牙

二、看一看，记一记。

报	扌	扩	护	报		
爬	丶	厂	爪	爪	爬	
稻	禾	稻	秆	秤	稻	稻	稻

三、读词语。

稻田　　落叶　　电报　　运动

一边　　那么　　赶快　　运动场

四、连起来读一读。
lián qǐ lái dú yì dú

来回 —— 爬
来回 —— 跑
来回 —— 飞

从 —— 屋里 —— 走出来
　　　wū
从 —— 那边 —— 游过来
从 —— 树上 —— 飞走了
　　　shù

五、组成句子读一读。
zǔ chéng jù zi dú yì dú

1 树上 一片片 从 黄叶 落下来
　shù

2 小船 落叶 把 蚂蚁 当作
　　　　　　　mǎ yǐ

六、读句子，说句子。
dú jù zi, shuō jù zi

黄叶从树上落下来。
huáng yè cóng shù shàng luò xià lái

雪花从天上飘下来。
xuě huā cóng tiān shàng piāo xià lái

丹尼从那边跑过来。
dān ní cóng nà biān pǎo guò lái

松鼠从＿＿跳下来。
sōng shǔ cóng　　　 tiào xià lái

＿＿从＿＿开过来。
　　　cóng　　　kāi guò lái

＿＿从 ＿＿＿＿＿＿。
　　　cóng

29

8 回声

大卫：爸爸，刚才发生一件奇怪的事。

爸爸：什么事呀？

大卫：我走进山洞，喊了一声"里面有人吗"，洞里立刻传出同样的声音。好像有人学我说话。

爸爸：那是回声。是你的声音被山洞的石壁挡回来了。

大卫：哦，是这么回事。

爸爸：你朝着对面的大山喊一声，也能听到回声。

大卫：是吗？我试一试。大—山—你—好—嘿，真有趣！大山也会说话。

声音被石壁挡回来了。

31

声	刚	事	进	山	立	刻	音	被	挡	朝
(聲)	(剛)		(進)						(擋)	

练习 liàn xí

一、照样子说说怎样记下面的字。
zhào yàng zi shuō shuo zěn yàng jì xià miàn de zì

败，左边是"贝"字，右边是反文旁。 fǎn páng

挡　被　呀　音

二、读一读。 dú yì dú

立　立刻　　进　进去　　声　声音

力　巧克力　　近　远近　　升　上升
qiǎo kè

三、读词语。 dú cí yǔ

大山　山洞　回声　说话　对面

刚才　同样　发生　回来　这么

四、<ruby>读<rt>dú</rt></ruby><ruby>句<rt>jù</rt></ruby><ruby>子<rt>zi</rt></ruby>，<ruby>注<rt>zhù</rt></ruby><ruby>意<rt>yì</rt></ruby><ruby>破<rt>pò</rt></ruby><ruby>折<rt>zhé</rt></ruby><ruby>号<rt>hào</rt></ruby><ruby>的<rt>de</rt></ruby><ruby>用<rt>yòng</rt></ruby><ruby>法<rt>fǎ</rt></ruby>。

大卫朝着对面的山大声<ruby>喊<rt>hǎn</rt></ruby>："大——山——你——好——"

<ruby>汤姆<rt>mǔ</rt></ruby>一边跑，一边喊："大卫——等一等——"

五、<ruby>看<rt>kàn</rt></ruby><ruby>图<rt>tú</rt></ruby><ruby>读<rt>dú</rt></ruby><ruby>句<rt>jù</rt></ruby><ruby>子<rt>zi</rt></ruby>。

<ruby>大风刮倒<rt>guā dǎo</rt></ruby>了小<ruby>树<rt>shù</rt></ruby>。

小树被大风刮倒了。

<ruby>老鹰<rt>yīng</rt></ruby>捉走了小鸡。

小鸡被老鹰捉走了。

六、<ruby>读<rt>dú</rt></ruby><ruby>句<rt>jù</rt></ruby><ruby>子<rt>zi</rt></ruby>，<ruby>说<rt>shuō</rt></ruby><ruby>句<rt>jù</rt></ruby><ruby>子<rt>zi</rt></ruby>。

<ruby>声音<rt>shēng yīn</rt></ruby>		<ruby>石壁挡回来<rt>shí bì dǎng huí lái</rt></ruby>了。
<ruby>鱼<rt>yú</rt></ruby>		<ruby>猫吃<rt>māo chī</rt></ruby>了。
<ruby>贴画<rt>tiē huà</rt></ruby>	<ruby>被<rt>bèi</rt></ruby>	<ruby>海伦拿走<rt>hǎi lún ná zǒu</rt></ruby>了。
<ruby>红铅笔<rt>hóng qiān bǐ</rt></ruby>		。
		<ruby>妈妈收起来<rt>mā ma shōu qǐ lái</rt></ruby>了。
		。

9 数年轮

小云：大卫，你看这个树桩干什么？

大卫：我想知道这棵树活了多少年。

小云：怎么能知道呢？

大卫：树桩上有年轮哪。

小云：什么是年轮？

大卫：树桩上的圈就是年轮。树木长一年，树干上就留下一个圈，再长一年，在圈外又留下一个圈。树干上有多少个圈，这棵树就活了多少年。

小云：是谁告诉你的？

大卫：是我从一本书上看到的。

小云：好，我们一起数一数，看看这棵树活了多少年。

树桩上的圈就是年轮。

数	轮	树	桩	棵	圈	留

(數)(輪)(樹)(椿)

liàn xí
练 习

zhào yàng zi zhǎo yì zhǎo　　dú yì dú
一、照样子找一找，读一读。

kè	shǔ	kě	shū	shù	kē

可	书	课	数	棵	树

dú yì dú　　jì yí jì
二、读一读，记一记。

bǐng
gān　　饼干
干
pú tao
葡萄干

gàn　　树干
干
干什么

kàn yí kàn　　jì yí jì
三、看一看，记一记。

留	⺍	⺈	⻭	留	留
圈	冂	冂	冈	冈	圈	圈

36

四、查下面的字，说说在字典的哪一页。
（chá xià miàn de zì，shuō shuo zài zì diǎn de nǎ yí yè）

轮　桩　进　望　圈

五、读一读。
（dú yì dú）

轮　年轮　树桩上有年轮。

留　留下　树木长一年，树干上就留下一个圈。

棵　一棵　操场上有一棵高大的梧桐树。（wú tóng）

六、读句子，说句子。
（dú jù zi，shuō jù zi）

树桩上的圈就是年轮。
（shù zhuāng shàng de quān jiù shì nián lún）

那七颗星就叫北斗七星。
（nà qī kē xīng jiù jiào běi dǒu qī xīng）

这座楼就是展览馆。
（zhè zuò lóu jiù shì zhǎn lǎn guǎn）

_____就是白老师。
（jiù shì bái lǎo shī）

那里就_____。
（nà lǐ jiù）

_____就_____ _____。
（jiù）

10 黄山奇石

　　黄山是中国著名的风景区。那里有许多怪石，非常有趣。

　　山顶上有块石头，它像一个从天上飞下来的大桃子，落在石盘上，人们叫它"仙桃石"。

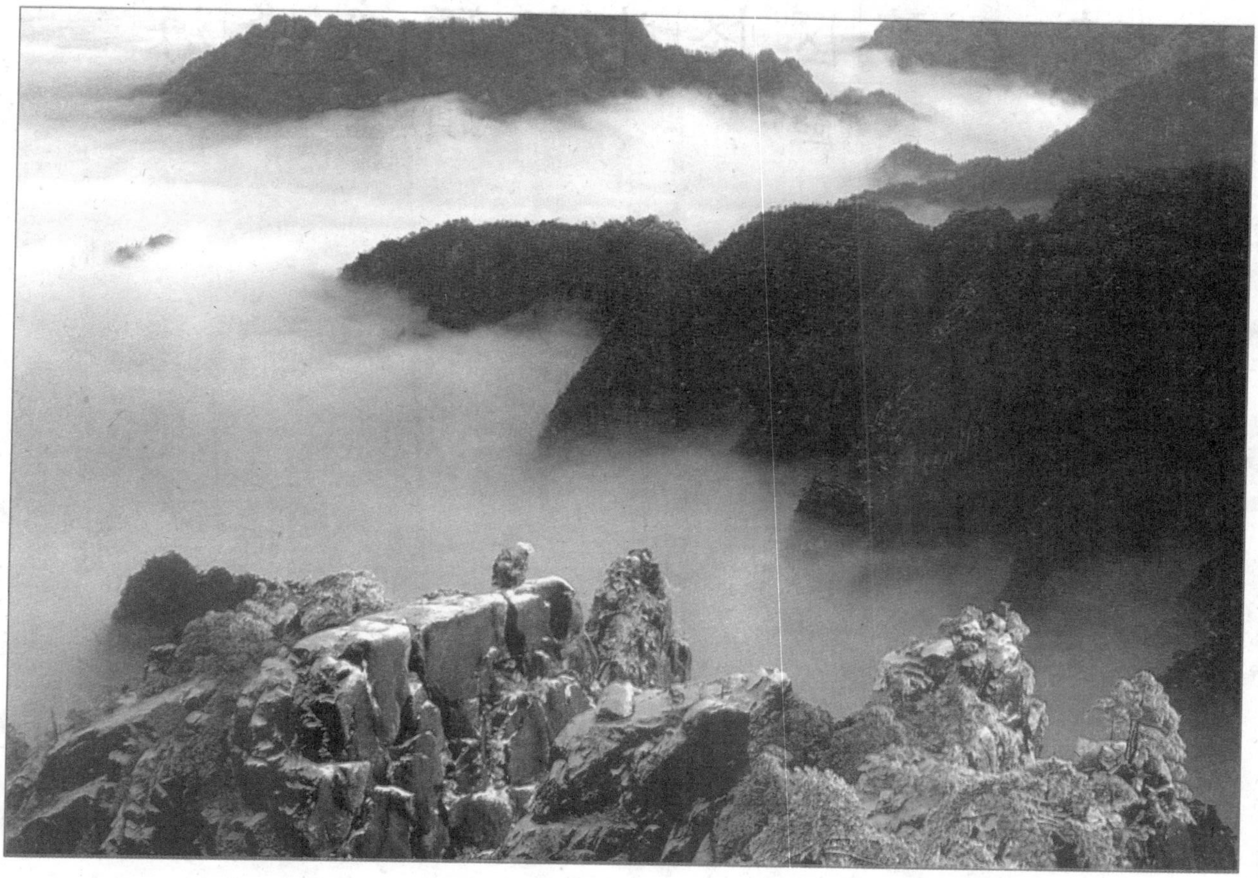

在一座陡峭的山峰上，有块石头很像一只猴子。它蹲在山头，正望着翻滚的云海。这就是有趣的"猴子观海"。

黄山还有很多叫不出名字的奇石，正等着人们给它们起名字呢！

黄山是中国著名的风景区。

奇	石	著	区	怪	非	趣	顶	盘	峰	海

(區)   (頂)(盤)

练习 (liàn xí)

一、比一比(bǐ yì bǐ)，读一读(dú yì dú)。

石 — 右   可 — 奇   顶 — 领

区 — 医   每 — 海   海 — 梅

二、读一读(dú yì dú)，带点的字要读轻声(dài diǎn de zì yào dú qīng shēng)。

猴子   石头   望着   说说

桃(táo)子   名字   等着   看看

三、读一读(dú yì dú)，想想意思(xiǎng xiǎng yì si)。

山峰   云海

陡峭(dǒu qiào)的山峰   翻滚(fān gǔn)的云海

声音   风景区

奇怪的声音   著名的风景区

四、读一读。
　　dú yì dú

著　著名　　爷爷是一位著名的科学家。
　　　　　　　　　　　wèi　　　　kē

盘　石盘　　石盘上的石头像一个大桃子。
　　　　　　　　　　xiàng　　táo

非　非常　　妈妈给我讲了一个非常有趣的故事。
　　　　　　　　　　　jiǎng　　　　　　gù

五、读句子，说句子。
　　dú jù zi　shuō jù zi

huáng shān shì zhōng guó zhù míng de fēng jǐng qū
黄　山　是　中　国　著　名　的　风　景　区　。

huáng shān yǒu xǔ duō qí guài de shí tou
黄　山　有　许　多　奇　怪　的　石　头　。

xiǎo yún shì quán bān zuì xiǎo de xué shēng
小　云　是　全　班　最　小　的　学　生　。

tā shì　　　　　　zhù míng de yīn yuè jiā
他　是＿＿＿＿著　名　的　音　乐　家　。

bà ba shì　　　　　　　　　　　de huà jiā
爸　爸　是＿＿＿＿＿＿＿＿的　画　家　。

mā ma mǎi le　　　　　　　　de
妈　妈　买　了＿＿＿＿＿＿＿的＿＿＿＿。

11 瀑布 pù bù

丹尼 dān ní：小云 xiǎo yún，我国的尼亚加拉大瀑布非 wǒ guó de ní yà jiā lā dà pù bù fēi
常有名。它水量大，景象壮观。 cháng yǒu míng tā shuǐ liàng dà jǐng xiàng zhuàng guān
我准备放假去看看。 wǒ zhǔn bèi fàng jià qù kàn kan

小云 xiǎo yún：我也喜欢瀑布。在中国，我看过 wǒ yě xǐ huān pù bù zài zhōng guó wǒ kàn guò
著名的黄果树瀑布。那是一个瀑 zhù míng de huáng guǒ shù pù bù nà shì yí gè pù
布群，景色十分壮丽。我还收集 bù qún jǐng sè shí fēn zhuàng lì wǒ hái shōu jí
了许多瀑布的照片呢。 le xǔ duō pù bù de zhào piàn ne

美国的尼亚加拉大瀑布

委内瑞拉的安赫尔瀑布

中国的黄果树瀑布

丹尼：那我考考你，世界上落差最大的瀑布是哪个？

小云：是委内瑞拉的安赫尔瀑布。落差是九百七十九米。

丹尼：世界上最宽的瀑布呢？

小云：是伊瓜苏瀑布，有四千多米宽。它像一个巨大的水幕，挂在半空中。

丹尼：你知道的真多。

我看过著名的黄果树瀑布。

量	准	备	群	收	集	差	安	宽	巨	挂

(准)(备) 　　　　　　　(宽)(鉅)(挂)

练习 liàn xí

一、看声调符号，读准字音。
kàn shēng diào fú hào dú zhǔn zì yīn

ˉ ˊ	ˇ ˋ	ˋ ˉ	ˋ ˋ
收 集	准 备	落 差	巨 大
非 常	水 量	大 家	放 假
中 国	景 色	假 期	电 话

二、比一比，读一读。
bǐ yì bǐ dú yì dú

巨	巨大	准	准备	蛙	青蛙
区	风景区	谁	他是谁	挂	挂红灯 dēng

三、读词语。
dú cí yǔ

瀑布　水幕　照片　十分壮丽
pù　mù　　　　zhuàng

世界　著名　收集　景象壮观
shì jiè　　　　　　xiàng guān

四、<ruby>连<rt>lián</rt></ruby><ruby>起<rt>qǐ</rt></ruby><ruby>来<rt>lái</rt></ruby><ruby>读<rt>dú</rt></ruby><ruby>一<rt>yì</rt></ruby><ruby>读<rt>dú</rt></ruby>。过：曾经发生

去过 ——— 黄山
　　　　　长城（chéng）
　　　　　迪斯尼乐园（dí sī ní）

看过 ——— 这本书
　　　　　滑雪比赛（huá）
　　　　　杂技表演（zá jì yǎn）

五、<ruby>组<rt>zǔ</rt></ruby><ruby>成<rt>chéng</rt></ruby><ruby>句<rt>jù</rt></ruby><ruby>子<rt>zi</rt></ruby><ruby>读<rt>dú</rt></ruby><ruby>一<rt>yì</rt></ruby><ruby>读<rt>dú</rt></ruby>。

1 最宽的（zuì） 世界上（shì jiè） 是 瀑布（pù） 伊瓜苏瀑布（yī guā sū）

2 照片 瀑布 收集了 我 许多 的

六、<ruby>读<rt>dú</rt></ruby><ruby>句<rt>jù</rt></ruby><ruby>子<rt>zi</rt></ruby>，<ruby>说<rt>shuō</rt></ruby><ruby>句<rt>jù</rt></ruby><ruby>子<rt>zi</rt></ruby>。

<ruby>我<rt>wǒ</rt></ruby><ruby>看<rt>kàn</rt></ruby><ruby>过<rt>guò</rt></ruby><ruby>著<rt>zhù</rt></ruby><ruby>名<rt>míng</rt></ruby><ruby>的<rt>de</rt></ruby><ruby>黄<rt>huáng</rt></ruby><ruby>果<rt>guǒ</rt></ruby><ruby>树<rt>shù</rt></ruby><ruby>瀑<rt>pù</rt></ruby><ruby>布<rt>bù</rt></ruby>。

<ruby>爸<rt>bà</rt></ruby><ruby>爸<rt>ba</rt></ruby><ruby>登<rt>dēng</rt></ruby><ruby>过<rt>guò</rt></ruby><ruby>中<rt>zhōng</rt></ruby><ruby>国<rt>guó</rt></ruby><ruby>的<rt>de</rt></ruby><ruby>长<rt>cháng</rt></ruby><ruby>城<rt>chéng</rt></ruby>。

<ruby>海<rt>hǎi</rt></ruby><ruby>伦<rt>lún</rt></ruby><ruby>吃<rt>chī</rt></ruby><ruby>过<rt>guò</rt></ruby><ruby>饺<rt>jiǎo</rt></ruby><ruby>子<rt>zi</rt></ruby>。

_____ <ruby>看<rt>kàn</rt></ruby><ruby>过<rt>guò</rt></ruby><ruby>动<rt>dòng</rt></ruby><ruby>物<rt>wù</rt></ruby><ruby>表<rt>biǎo</rt></ruby><ruby>演<rt>yǎn</rt></ruby>。

<ruby>妈<rt>mā</rt></ruby><ruby>妈<rt>ma</rt></ruby> ___ <ruby>过<rt>guò</rt></ruby> _____。

_____ ___ <ruby>过<rt>guò</rt></ruby> _____。

12 　大峡谷
dà xiá gǔ

dà wèi　　　　xiǎo yún　 nǐ qù guò kē luó lā duō dà xiá gǔ ma
大卫：小云，你去过科罗拉多大峡谷吗？

xiǎo yún　　méi yǒu　 nǐ ne
小云：没有，你呢？

dà wèi　 wǒ qù guò
大卫：我去过。

xiǎo yún　　 nǐ gěi wǒ jiǎng jiǎng hǎo ma
小云：你给我讲讲好吗？

dà wèi　 hǎo　 kē luó lā duō dà xiá gǔ shì shì jiè shàng zuì yǒu
大卫：好。科罗拉多大峡谷是世界上最有

　　　　míng de xiá gǔ　　 tā yòu cháng yòu shēn　 fēi cháng zhuàng guān
　　　　名的峡谷。它又长又深，非常壮观。

xiǎo yún　　 yǒu duō shēn
小云：有多深？

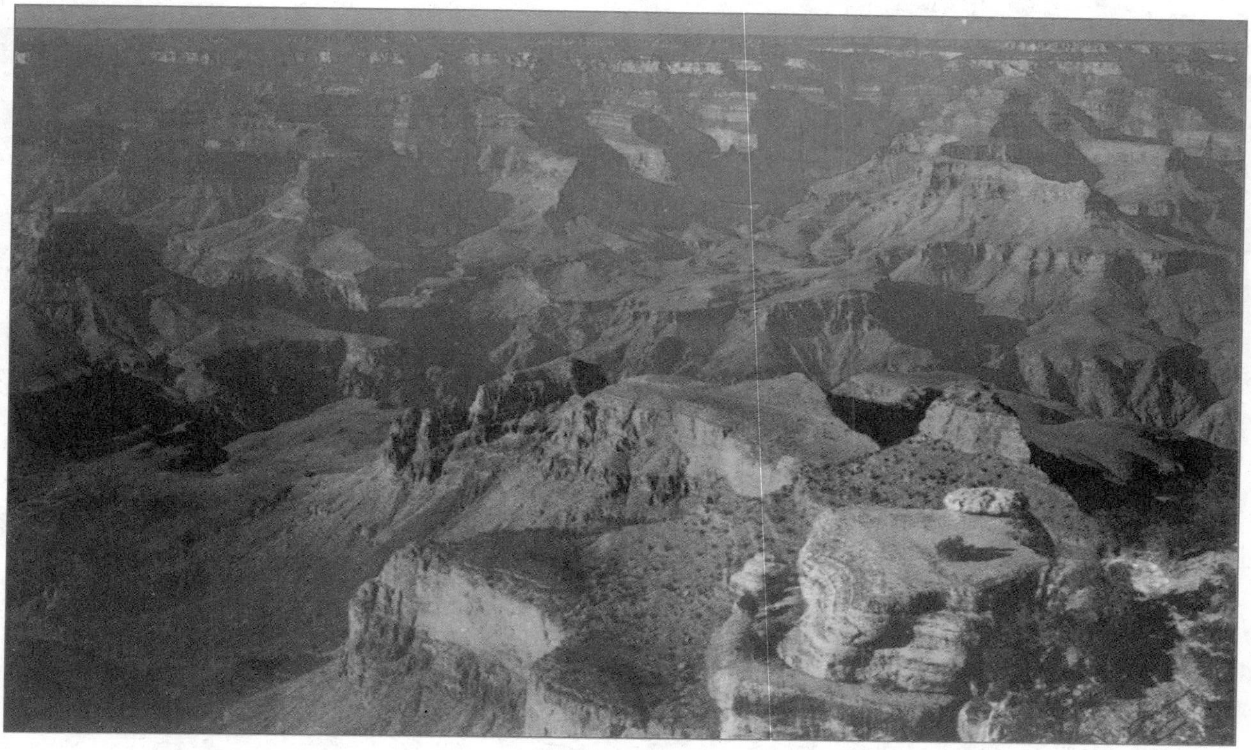

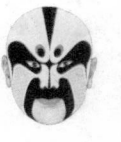

dà wèi　yì qiān qī bǎi duō mǐ　wǒ guó de dì guó dà shà yǒu
大卫：一千七百多米。我国的帝国大厦有

sān bǎi bā shí duō mǐ gāo　jiù shì bǎ sì gè dì guó
三百八十多米高，就是把四个帝国

dà shà luò zài lǐ miàn　yě lòu bù chū lóu dǐng lái
大厦摞在里面，也露不出楼顶来。

xiǎo yún　ā　zhè me shēn
小云：啊，这么深！

dà wèi　tā bú dàn shēn　jǐng sè hái hěn qí tè　xiá gǔ nán
大卫：它不但深，景色还很奇特。峡谷南

bì shì huāng mò　běi bì què shù mù cāng cuì　xiá gǔ
壁是荒漠，北壁却树木苍翠。峡谷

lǐ hái yǒu xǔ duō xíng zhuàng bù tóng de shān hé shí zhù
里还有许多形状不同的山和石柱。

xiǎo yún　kē luó lā duō dà xiá gǔ zhēn zhí dé qù kàn kan
小云：科罗拉多大峡谷真值得去看看。

帝国大厦有三百八十多米高。

科	讲	深	壮	观	露	但	状	柱	值

（讲）　（壮）（观）　　（状）

liàn xí
练 习

shuō shuo zěn yàng jì xià miàn de zì
一、说说怎样记下面的字。

但　讲　值
露　科　深

> dǎn
> 但，左边是
> 单立人，右边是
> "日"和一横。

dú yì dú bǐ yì bǐ
二、读一读，比一比。

安 —— 按　　　直 —— 值　　　路 —— 露

观 —— 现　　　状 —— 壮　　　柱 —— 注

dú cí yǔ
三、读词语。

看看　看一看　　　讲讲　讲一讲

说说　说一说　　　数数　数一数

shì
听听　听一听　　　试试　试一试

^{lián qǐ lái dú yì dú}
四、连 起 来 读 一 读。

景色 ── 壮观
       ── 奇特 (^{tè})

值得 ── 看看
       ── 听听

^{dú yì dú   xiǎng xiǎng yì si}
五、读 一 读，想 想 意 思。   有: have possess

^{xiá gǔ}
峡谷里有山和石柱。

峡谷里有许多山和石柱。

峡谷里有许多形状不同的山和石柱。

^{dú jù zi   shuō jù zi}
六、读 句 子，说 句 子。   有: there is exists

^{dì guó dà shà} 帝国大厦		^{sān bǎi bā shí duō mǐ gāo} 三百八十多米高。
^{yī guā sū pù bù} 伊瓜苏瀑布		^{sì qiān duō mǐ kuān} 四千多米宽。
^{dà xiàng de bí zi} 大象的鼻子	^{yǒu} 有	^{yì mǐ duō cháng} 一米多长。
		^{wǔ mǐ duō kuān} 五米多宽。
^{nà kē shù} 那棵树		。
		。

13 你会做得很好

大卫：妈妈，请到我的房间来。

妈妈：大卫，有事吗？

大卫：妈妈，我的房间乱糟糟的。我不知道怎么收拾。您告诉我好吗？

妈妈：先打开窗户，换换空气，再把床铺好，把桌子上的东西摆整齐，最后用吸尘器清除灰尘。

大卫：我知道了。过一会儿，我的房间一定会变样的。

妈妈：我相信你会做得很好。

您告诉我好吗？

乱 拾 换 床 桌 整 尘 清 除 灰
（亂）　　（牀）　　（塵）

练　习

一、比一比，说一说。

"合"字左边加上"提手旁"，是"收拾"的"拾"。

合　青　木　小
拾　清　床　尘

二、看一看，记一记。

灰	ナ	ナ	広	広	灰
换	扌	扩	护	换	换
整	一	口	申	束	敕	整

52

三、读词语。
dú cí yǔ

桌子　收拾　知道　整齐

东西　清除　相信　乱糟糟
　　　　　　　xiāng xìn　　zāo

四、照样子连起来读一读。
zhào yàng zi lián qǐ lái dú yì dú

收拾	空气	打开	图片
清除	房间	收集	我们
换换	灰尘	告诉	窗户

fáng jiān　　　　　　chuāng hu

五、读句子，说句子。
dú jù zi　shuō jù zi

您告诉我好吗？
nín gào sù wǒ hǎo ma

我们做游戏好吗？
wǒ men zuò yóu xì hǎo ma

你喝一杯牛奶好吗？
nǐ hē yì bēi niú nǎi hǎo ma

大家一起做早操_____？
dà jiā yì qǐ zuò zǎo cāo

我们_____？
wǒ men

_____ _____好吗？
hǎo ma

53

14 新住宅

叔叔：小云，你们搬到这里有半年了吧？

小云：对，我们是年初搬来的。那时候，
这座住宅刚刚建好。

叔叔：这个客厅真大，布置得也很漂亮。
楼里的房间不少吧？

小云：是啊，楼下还有餐厅、厨房和健
身房。楼上有卧室和书房。

叔叔：领我看看好吗？

小云：好啊。

叔叔：现在北京也建了很多新楼房。我
和你的爷爷、奶奶就要搬进新家了。

小云：那太好了。

我们是年初搬来的。

搬 半 建 客 厅 置 楼 房 间 健 室
（廳）　（樓）　（間）

^{liàn} ^{xí}
练 习

一、比一比，读一读。

客 —— 室	门 —— 问 —— 间
建 —— 健	直 —— 值 —— 置

二、读词语。

客厅　餐厅

楼房　楼里　楼上　楼下

房间　厨房　书房　健身房

三、读句子，注意冒号和引号的用法。

叔叔问小云："你们是什么时候搬来的？"

小云说："我们是年初搬来的。"

四、dú yì dú 读一读，xiǎng xiǎng yì si 想想意思。

楼房　　　　　　　　客厅

新楼房　　　　　　　大客厅

高大的新楼房　　　　漂亮的大客厅

五、dú jù zi 读句子，shuō jù zi 说句子。

wǒ men shì nián chū bān lái de
我们是年初搬来的。

lóu fáng shì gāng jiàn hǎo de
楼房是刚建好的。

kè tīng shì mā ma bù zhì de
客厅是妈妈布置的。

shì péng yǒu sòng de
_____是朋友送的。

shū shu shì   de
叔叔是_____ ____的。

shì   de
_____是_____ ____的。

15　在野外过夜
zài yě wài guò yè

星期六，我们全家在野外过夜。
xīng qī liù　wǒ men quán jiā zài yě wài guò yè

那天晚上，天蓝蓝的，星星亮闪闪
nà tiān wǎn shàng　tiān lán lán de　xīng xing liàng shǎn shǎn

的。望着美丽的夜空，我和妹妹唱起了
de　wàng zhe měi lì de yè kōng　wǒ hé mèi mei chàng qǐ le

《星星之歌》。爸爸、妈妈坐在篝火旁，
xīng xing zhī gē　bà ba　mā ma zuò zài gōu huǒ páng

给我们鼓掌。
gěi wǒ men gǔ zhǎng

过了一会儿，青蛙也唱起来。妹妹一边跳，一边学青蛙叫，逗得大家直笑。我们玩了很久，才进帐篷休息。第二天早上醒来，妹妹发现帐篷里来了位小客人。啊，是一只小刺猬。

妹妹一边跳，一边学青蛙叫。

liàn xí
练 习

dú yì dú　　　bǐ yì bǐ　　zài kǒu tóu zǔ cí yǔ
一、读一读，比一比，再口头组词语。

休——体　　　息——思

楼——数　　　掌——常

dú yì dú　　　yào dú zhǔ qīng shēng
二、读一读，要读准轻声。

爷爷　　奶奶　　爸爸

　　　　shū
妈妈　　叔叔　　妹妹

dú cí yǔ
三、读词语。

yě
野外　　夜空　　晚上　　客人　　全家

望着　　发现　　鼓掌　　休息　　很久

四、查下面的字，说说在字典的哪一页。
chá xià miàn de zì，shuō shuo zài zì diǎn de nǎ yí yè

旁　之　火　但　半　逗

五、读句子，注意带点的字。
dú jù zi，zhù yì dài diǎn de zì

我们全家在野外过夜。
yě

我和汤姆在操场上打网球。
mǔ

黄叶从树上落下来。

爸爸从书房里走出来。

六、读句子，说句子。
dú jù zi，shuō jù zi

妹妹一边跳，一边学青蛙叫。
mèi mei yì biān tiào，yì biān xué qīng wā jiào

他们一边散步，一边聊天。
tā men yì biān sàn bù，yì biān liáo tiān

大卫一边看电视，一边吃苹果。
dà wèi yì biān kàn diàn shì，yì biān chī píng guǒ

海伦一边看乐谱，一边_____。
hǎi lún yì biān kàn yuè pǔ，yì biān

_____一边_____，一边跳舞。
yì biān，yì biān tiào wǔ

_____一边_____，一边_____。
yì biān，yì biān

综合练习一
zōng hé liàn xí yī

一、学习部首查字法。
xué xí bù shǒu chá zì fǎ

小云：白老师，这个字念什么？
xiǎo yún　bái lǎo shī　zhè gè zì niàn shén me

白老师：这是"江"字。遇到没学过的字，可以用部首查字法在字典里查找。
bái lǎo shī　zhè shì jiāng zì　yù dào méi xué guò de zì　kě yǐ yòng bù shǒu chá zì fǎ zài zì diǎn lǐ chá zhǎo

小云：怎么查呢？
xiǎo yún　zěn me chá ne

白老师：用部首查字法查字典，先要确定要查的字的部首，还要数数部首有几画，除去部首还有几画。小云，你说说"江"的部首是什么，除去部首有几画。
bái lǎo shī　yòng bù shǒu chá zì fǎ chá zì diǎn　xiān yào què dìng yào chá de zì de bù shǒu　hái yào shǔ shǔ bù shǒu yǒu jǐ huà　chú qù bù shǒu hái yǒu jǐ huà　xiǎo yún　nǐ shuō shuo jiāng de bù shǒu shì shén me　chú qù bù shǒu yǒu jǐ huà

小云："江"的部首是三点水，除去部首有三画。
xiǎo yún　jiāng de bù shǒu shì sān diǎn shuǐ　chú qù bù shǒu yǒu sān huà

bái lǎo shī
白老师：对。你查查字典里的"部首目
lù kàn kan sān huà yì lán lǐ yǒu méi yǒu
录"，看看三画一栏里有没有"氵"。
xiǎo yún yǒu lǎo shī yòu biān de zhǐ de
小 云：有。老师，右边的"46"指的
shì shén me
是什么？
bái lǎo shī zhè shì shuō sān diǎn shuǐ bù de zì zài jiǎn zì
白老师：这是说三点水部的字在"检字
biǎo de yè nǐ fān dào yè zhǎo dào
表"的46页。你翻到46页找到
bù zài bù de sān huà lǐ zhǎo dào
"氵"部，在"氵"部的三画里找到
jiāng zì zài kàn kan jiāng zì yòu
"江"字，再看看"江"字右
biān de yè mǎ jiù zhī dào tā zài zì diǎn zhèng
边的页码，就知道它在字典正
wén de nǎ yí yè le nǐ chá cha kàn
文的哪一页了。你查查看。
xiǎo yún ā wǒ chá dào jiāng zì le
小 云：啊，我查到"江"字了！

yòng bù shǒu chá zì fǎ chá xià miàn de zì shuō shuo zài zì diǎn de nǎ yí yè
用部首查字法查下面的字，说说在字典的哪一页。

油　别　脸　枝

dú yì dú jì yí jì
二、读一读，记一记。

zhēng chū
正 —— 正月初一

zhǐ
只 —— 一只猴子

zhèng
正 —— 正在看报

zhǐ
只 —— 只剩一个人

三、照样子说一说。

片，共四画，第四画是横折。

升，共___画，第一画是_____。

压，共___画，第六画是_____。

汤，共___画，第四画是_____。

夜，共___画，第七画是_____。

四、读词语。

书架	篮球	楼房	山峰	树木
准备	播放	发生	收集	鼓掌
整齐	漂亮	立刻	赶快	奇怪

五、照样子连起来读一读。

爱护　　房间　　　美丽的　　节目

观看　　树木　　　可爱的　　夜空

布置　　表演　　　精彩的　　小妹妹

六、组成句子读一读。

（zǔ chéng jù zi dú yì dú）

　　1 小云　收拾　是　房间　的

　　2 景色　的　大峡谷（xiá gǔ）　奇特（tè）　非常

　　3 大卫　山洞里　从　跑出来

七、读一读，注意带点的字。

（dú yì dú）（zhù yì dài diǎn de zì）

　　同学们的作品很精美。

　　爸爸做了一只风筝（zheng）。

　　我非常喜欢爬山。

　　这根（gēn）竹竿（gān）很长。

八、读一读。

（dú yì dú）

　　一群羊　　草（cǎo）地上有一群羊。

　　几片树叶　地上有几片树叶。

　　一棵大树　河边有一棵大树。

dú jù zi　shuō jù zi

九、读句子，说句子。

小云把报纸放在桌子上。

____把_____。

篮球被大卫拿走了。

____被_____。

我看过《丑小鸭》这本书。
chǒu yā

_____过_____。

那座楼房就是新建的图书馆。
guǎn

_____就_____。

dú yì dú

十、读一读。

cóng yí piàn lǜ sè de sēn lín lǐ
从一片绿色的森林里，
zǒu chū yì zhī měi lì de xiǎo huā lù
走出一只美丽的小花鹿。
tā de liǎng gè jī jiao
它的两个犄角，
hǎo xiàng liǎng kē xiǎo sōng shù
好像两棵小松树。
xiǎo shù yáo yì yáo
"小树"摇一摇，
xiǎo lù zǒu yí bù
小鹿走一步；

xiǎo shù　　　yáo liǎng yáo
"小树"摇两摇，

xiǎo lù zǒu liǎng bù
小鹿走两步。

huó po de xiǎo shān yáng
活泼的小山羊，

gào sù bèng bèng tiào tiào de xiǎo bái tù
告诉蹦蹦跳跳的小白兔：

kuài kàn　　　kuài kàn
"快看，快看，

kuài kàn huì zǒu lù de xiǎo sōng shù
快看会走路的小松树！"

kàn tú shuō yì liǎng jù huà
十一、看图说一两句话。

16　长大了做什么

小云：我喜欢画画，长大了要当一名画家。你们呢？

海伦：我想当歌手，要比现在的歌星唱得还好。

杰克：我要当旅行家，走遍全世界，把各地的美丽风景都拍摄下来。

大卫：我想当宇航员，到月球去旅行。我还想登上别的星球，看看那里有没有人。

小云：大卫，你想当宇航员，真了不起！丹尼，你想干什么呢？

丹尼：我还不知道干什么好，也许像爸爸一样当个医生。

你想干什么呢？

69

旅	遍	世	界	宇	航	登	别	像

liàn xí

练 习

yòng bù shǒu chá zì fǎ chá xià miàn de zì   zài zhào yàng zi shuō yì shuō

一、用部首查字法查下面的字，再照样子说一说。

wèi chádān
"位"查单立
bù
人部，再查5画，
diǎn yè
在字典的502页。

信　忙　烤　熟

kàn yí kàn   jì yí jì

二、看一看，记一记。

旅	方	方	扩	於	於	旅		
登	ノ	㇇	㇇	㇇	癶	登		
像	亻	亻	傄	傄	傄	像	像	像

三、<ruby>连<rt>lián</rt></ruby> <ruby>起<rt>qǐ</rt></ruby> <ruby>来<rt>lái</rt></ruby> <ruby>读<rt>dú</rt></ruby> <ruby>一<rt>yì</rt></ruby> <ruby>读<rt>dú</rt></ruby>。

喜欢 ——— 画画
　　　　唱歌
　　　　旅行

美丽的 ——— 风景
　　　　　图画
　　　　　彩<ruby>虹<rt>hóng</rt></ruby>

四、<ruby>读<rt>dú</rt></ruby> <ruby>一<rt>yì</rt></ruby> <ruby>读<rt>dú</rt></ruby>。

画　画家　　小云<ruby>想<rt>xiǎng</rt></ruby>当画家。

家　旅行家　　旅行家能走遍世界吗？

员　宇航员　　宇航员真了不起！

五、<ruby>读<rt>dú</rt></ruby> <ruby>句<rt>jù</rt></ruby> <ruby>子<rt>zi</rt></ruby>，<ruby>说<rt>shuō</rt></ruby> <ruby>句<rt>jù</rt></ruby> <ruby>子<rt>zi</rt></ruby>。

<ruby>你<rt>nǐ</rt></ruby> <ruby>想<rt>xiǎng</rt></ruby> <ruby>干<rt>gàn</rt></ruby> <ruby>什<rt>shén</rt></ruby> <ruby>么<rt>me</rt></ruby> <ruby>呢<rt>ne</rt></ruby>？

<ruby>哪<rt>nǎ</rt></ruby> <ruby>里<rt>lǐ</rt></ruby> <ruby>有<rt>yǒu</rt></ruby> <ruby>停<rt>tíng</rt></ruby> <ruby>车<rt>chē</rt></ruby> <ruby>场<rt>chǎng</rt></ruby> <ruby>呢<rt>ne</rt></ruby>？

<ruby>小<rt>xiǎo</rt></ruby> <ruby>云<rt>yún</rt></ruby> <ruby>怎<rt>zěn</rt></ruby> <ruby>么<rt>me</rt></ruby> <ruby>还<rt>hái</rt></ruby> <ruby>不<rt>bù</rt></ruby> <ruby>来<rt>lái</rt></ruby> <ruby>呢<rt>ne</rt></ruby>？

_____<ruby>吃<rt>chī</rt></ruby> <ruby>什<rt>shén</rt></ruby> <ruby>么<rt>me</rt></ruby> <ruby>呢<rt>ne</rt></ruby>？

<ruby>哪<rt>nǎ</rt></ruby> <ruby>儿<rt>er</rt></ruby> ____ _____ <ruby>呢<rt>ne</rt></ruby>？

_____ <ruby>呢<rt>ne</rt></ruby>？

71

17　野餐

yě cān

老师：牛肉串烤熟了。现在该吃饭了。

汤姆：老师，用我钓的鱼做鱼汤，好吗？

老师：好，我来做。

丹尼：小云，我带了热狗和苹果派。你呢？

小云：我带的是三明治和沙拉。我妈妈做

de shā lā hěn hǎo chī　　　nǐ cháng chang
的 沙 拉 很 好 吃 。 你 尝 尝 。

dān ní　　　ā　　dí què hǎo chī
丹 尼： 啊， 的 确 好 吃 。

lǎo shī　　　yú tāng yě zuò hǎo le　　dà jiā chī ba
老 师： 鱼 汤 也 做 好 了 。 大 家 吃 吧 !

tāng mǔ　　　lǎo shī kǎo de niú ròu chuàn zhēn xiāng　　bǐ wǒ mā ma
汤 姆： 老 师 烤 的 牛 肉 串 真 香 ， 比 我 妈 妈

zuò de hǎo
做 得 好 。

xiǎo yún　　　yú tāng hěn hǎo hē　　xiān jí le
小 云： 鱼 汤 很 好 喝 ， 鲜 极 了 !

妈 妈 做 的 沙 拉 很 好 吃 。

野	烤	熟	热	狗	苹	派	治	拉	尝	确
			(熱)		(蘋)				(嘗)	(確)

练习

一、比一比，读一读，再口头组词语。

啦 — 拉　　　尝 — 云　　　热 — 熟

烤 — 考　　　野 — 里　　　航 — 船

二、读词语。

沙拉　　鱼汤　　三明治　　尝尝

热狗　　烤肉　　苹果派　　的确

三、照样子连起来读一读。

天气	宽	鱼汤	很好吃
公路	热	节目	很好喝
房间	大	沙拉	很好看

四、读句子，注意带点的词语。

你妈妈做的沙拉的确好吃。

黄山的风景的确很美。

老师做的鱼汤鲜极了。

乔丹扣篮的动作漂亮极了。

五、读句子，说句子。

妈妈做的沙拉很好吃。

爸爸买的西瓜真大。

小云穿的衣服很漂亮。

_____讲的_____很有趣。

_____拿的画片_____。

_____做的_____。

18 足球变成水球了

　　我家附近有条小河。河边有块空地。我们常常到那里踢球。

　　有一次，汤姆猛踢一脚，球向河边飞去，打在一位先生的身上，又滚到河里。那位先生笑了，大声说："你们的足球变成水球了。"大卫连忙跑过去，红着脸说："真对不起！"那位先生说："没关系。"他还帮我们把球捞上来。我们说声"谢谢"，又高高兴兴地玩起来。

　　我们常常到那里踢球。

77

附	河	脚	位	连	忙	脸	关	系	帮	捞
				(連)		(臉)	(關)	(係)	(幫)	(撈)

练习 (liàn xí)

一、读一读，想一想，说说怎样记下面的字。
(dú yì dú, xiǎng yì xiǎng, shuō shuo zěn yàng jì xià miàn de zì)

河 位 连 关 脚

河 = 氵 + 可

二、读词语。(dú cí yǔ)

足球　　空地　　附近　　连忙　　高高兴兴

先生　　河边　　谢谢　　对不起　　没关系

三、连起来读一读。(lián qǐ lái dú yì dú)

书　店——买书

到　　体育场(yù)——踢球

　　动物园(wù)——看动物

四、读句子，说句子。
dú jù zi shuō jù zi

wǒ men cháng cháng dào nà lǐ tī qiú
我 们 常 常 到 那 里 踢 球 。

dà jiā dào xué xiào shàng kè
大 家 到 学 校 上 课 。

xiǎo yún dào tú shū guǎn jiè shū
小 云 到 图 书 馆 借 书 。

mā ma dào   mǎi dōng xi
妈 妈 到 _____ 买 东 西 。

tā men   dǎ wǎng qiú
他 们 ___ _____ 打 网 球 。

            dào
_____ 到 _____ _____ 。

五、看图说话。用上"对不起"、"没关系"。
kàn tú shuō huà   yòng shàng   duì bù qǐ   méi guān xì

屈原

端午节　月亮圆

立　　　农历五
端　　　
午　　　秋火传说离
节　　　新是以后

农　　　瞭望人间
初　　　家　家户
江　　　团　圆
湖　　　幸福

孩子　孩
欢欢喜喜
不停
感
加油
为了　为了
纪念
诗人
月饼节日

端午节
农历
初五
江湖
孩子
欢欢喜喜
不亭
n喊
加油

纪念
诗人

刀 个

19 端午节

小云：再过几天，就到中国的端午节了。

大卫：中国的端午节是哪一天？

小云：农历五月初五。

大卫：中国人怎么过端午节？

小云：每到这一天，家家户户吃粽子。大人们在江里、湖里赛龙舟。孩子们欢欢喜喜地跑去看，还不停地喊："加油！""加油！"

大卫：端午节为什么要吃粽子、赛龙舟呢？

小云：为了纪念古代爱国诗人屈原。

孩子们欢欢喜喜地跑去看。

端	历	初	江	孩	停	喊	油	纪	念	诗
	(歷)							(紀)		(詩)

练习

一、读一读，想一想，再口头组词语。

历—力　　初—出　　世—室

纪—记　　在—再　　变—遍

二、读词语。

诗人	孩子	端午节	家家户户
农历	纪念	吃粽子	欢欢喜喜
不停	加油	赛龙舟	五月初五

三、读句子，注意标点的用法。

大人们在江里、湖里赛龙舟。

大卫、杰克、海伦都是我的好朋友。

四、组成句子读一读。
zǔ chéng jù zi dú yì dú

  1   赛   大人们   在   龙舟   湖里
lóng zhōu

  2   欢欢喜喜地   看   孩子们   跑去

  3   端午节   的   中国   五月初五   是

五、读句子，说句子。
dú jù zi shuō jù zi

hái zi men 孩子们	huān huān xǐ xǐ 欢欢喜喜		pǎo qù kàn 跑去看。
wǒ men 我们	gāo gāo xìng xìng 高高兴兴		wán 玩。
xiǎo yún 小云	dà dà fāng fāng 大大方方	de 地	biǎo yǎn jié mù 表演节目。
	rèn rèn zhēn zhēn 认认真真		xiě hàn zì 写汉字。
mèi mei 妹妹			dù guò le shǔ jià 度过了暑假。
			。

83

20 吃月饼的节日

海伦：今天的月亮又大又圆。

小云：你还不知道吧，今天是农历八月十五——中国的中秋节。

海伦：我听爸爸说过，一到中秋节，中国人都要吃月饼。

小云：在中国，还有这样一个传说呢。古时候有个人叫嫦娥，八月十五那天，她吃了仙丹，一下子飞到月亮上，远离了亲人。

海伦：嫦娥不想回家吗？

小云：想啊，可是她再也回不来了。以后，每到农历八月十五，人们就一边赏月，一边吃月饼，盼望嫦娥能回到人间，家家户户团圆幸福。

月亮又大又圆。

饼	圆	离	亲	盼	户	团	幸	福

(餅)(圆)(離)(親)　　　(團)

liàn xí
练 习

shuō shuo yòng bù shǒu chá zì fǎ xià miàn de zì chá shén me bù
一、说说用部首查字法下面的字查什么部。

糖　　袋　　杰　　香　　祝

bǐ yì bǐ　　dú yì dú　　zài kǒu tóu zǔ cí yǔ
二、比一比，读一读，再口头组词语。

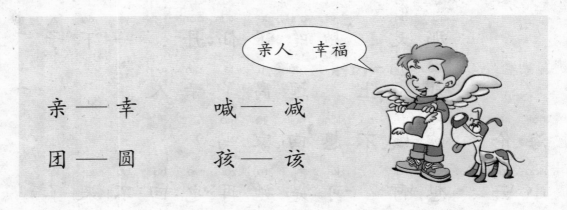

亲人　幸福

亲 —— 幸　　喊 —— 减

团 —— 圆　　孩 —— 该

dú cí yǔ
三、读词语。

节日　月亮　月饼　盼望　又大又圆

亲人　人间　可是　以后　又高又大

中秋　团圆　幸福　传说　又快又好

四、 _{dú jù zi} 读句子， _{shuō jù zi} 说句子。

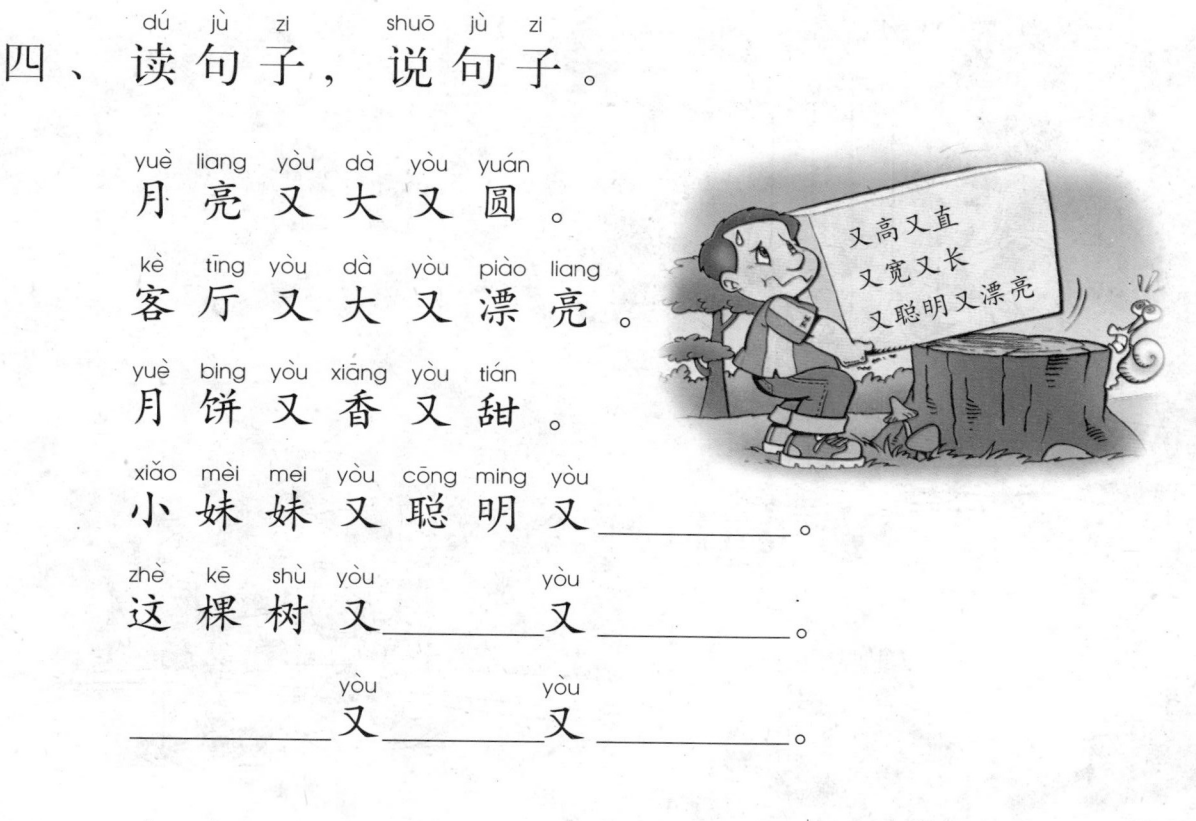

_{yuè liang yòu dà yòu yuán}
月 亮 又 大 又 圆 。

_{kè tīng yòu dà yòu piào liang}
客 厅 又 大 又 漂 亮 。

_{yuè bing yòu xiāng yòu tián}
月 饼 又 香 又 甜 。

_{xiǎo mèi mei yòu cōng ming yòu}
小 妹 妹 又 聪 明 又 _____ 。

_{zhè kē shù yòu yòu}
这 棵 树 又_____又_____ 。

_{yòu yòu}
_____又_____又_____ 。

五、 _{kàn tú shuō liǎng sān jù huà} 看图说两三句话。

21 我爱过万圣节

大卫： 小云，我送你一块巧克力。

小云： 谢谢。这种巧克力真好吃，是在哪儿买的？

大卫： 不是买的，是万圣节那天得到的。

小云： 我也得到了许多糖果。那天，我拿着口袋，挨家挨户要糖吃。到后来，糖多得都装不下了。

大卫： 那天，海伦的爸爸送我一大包巧克力。杰克的妈妈给我好多口香糖，还祝我万圣节快乐。

小云： 万圣节可以四处要糖吃。我最爱过万圣节。

大卫： 我也是。

我送你一块巧克力。

万	圣	巧	克	糖	袋	装	杰	香	祝

(萬)(聖)　　　　　　　(裝)(傑)

lián xí
练 习

yòng bù shǒu chá zì fǎ chá xià miàn de zì　　　zài zhào yàng zi shuō yì shuō
一、用部首查字法查下面的字，再照样子说一说。

练　嘴　肥　碗

> chá bù
> 巧，查工部，
> 再查两画，在字
> diǎn　　　yè
> 典的384页。

bǐ yì bǐ　　dú yì dú
二、比一比，读一读。

方（方向）　　　袋（口袋）　　　圆（团圆）

万（万圣节）　　装（装不下）　　园（公园）

dú yì dú　　zhù yì dài diǎn de cí
三、读一读，注意带点的词。

一包饼干　　一盘月饼　　一块巧克力
　　　　　　　　　　　　kuài

一袋糖果　　一个苹果　　一把口香糖

四、读 词 语。
（dú cí yǔ）

口袋　糖果　四处　快乐　　口香糖

好多　许多　后来　万圣节　巧克力

五、组 成 句 子 读 一 读。
（zǔ chéng jù zi dú yì dú）

1　喜欢　我　万圣节　过　非常

2　小云　祝　快乐　万圣节　我

六、读 句 子，说 句 子。
（dú jù zi，shuō jù zi）

wǒ sòng nǐ yí kuài qiǎo kè lì
我 送 你 一 块 巧 克 力 。

mā ma gěi wǒ yì zhī gāng bǐ
妈 妈 给 我 一 支 钢 笔 。

bái lǎo shī jiāo wǒ men zhōng wén
白 老 师 教 我 们 中 文 。

xiǎo yún sòng hǎi lún
小 云 送 海 伦 ＿＿＿＿＿ 。

bà ba gěi wǒ
爸 爸 给 我 ＿＿＿＿＿ 。

sòng
＿＿＿＿＿ 送 ＿＿＿＿＿ 。

22 鹦鹉

海伦：大卫，快来看，这只鹦鹉多漂亮！

大卫：啊，它的羽毛真鲜艳，嘴红红的，还带着钩呢！

海伦：小云，这是你养的鹦鹉吗？

小云：不是，是我爸爸养的。

海伦：听说鹦鹉会说话，是吗？

小云：是的，不过要经过训练才行。

海伦：这只鹦鹉会说话吗？

小云：会。你一拍手，它就说"你好"。

大卫：真的吗？我来试试。

你一拍手，它就说"你好"。

艳 嘴 带 钩 养 经 训 练 试

(艳) (带)(钩)(養)(經)(訓)(練)(試)

练 习

一、找出带有下面偏旁的字，再读一读。

讠　纟　钅　礻

经　初　练　钟　训　纪

诗　钩　讲　被　试　纸

二、读词语。

养花　试试　衣钩　训练　说话　经过

养鸟　考试　鱼钩　练字　听说　经常

三、读一读。

艳　鲜艳　鹦鹉的羽毛非常鲜艳。

经　经过　鹦鹉经过训练会说话。

四、^{dú jù zi} 读句子，注意标点的用法。

鹦鹉(yīng wǔ)的嘴红红的，还带着钩。

我看过《白雪公主(zhǔ)》这本书。

丹尼(dān ní)养了金鱼、小猫(māo)和小狗。

五、^{dú jù zi shuō jù zi} 读句子，说句子。

你一拍手(nǐ yì pāi shǒu)，它就说(tā jiù shuō)"你好(nǐ hǎo)"。

天一亮(tiān yí liàng)，我们就起床了(wǒ men jiù qǐ chuáng le)。

下课铃一响(xià kè líng yì xiǎng)，校园里就热闹起来了(xiào yuán lǐ jiù rè nào qǐ lái le)。

我一_____(wǒ yì)，小狗就向我跑来(xiǎo gǒu jiù xiàng wǒ pǎo lái)。

妈妈一进门(mā ma yí jìn mén)，_____。

_____一(yí)____，____就(jiù)_____。

23 　海里的动物

海伦：小云，你去过水族馆吗？

小云：没有。

海伦：那里有很多海洋动物，可好看了。

小云：都有哪些动物？

海伦：有海龟、海蜇、大龙虾，还有各
种各样的鱼。

小云：最好看的是什么？

海伦：最好看的是鱼。那些鱼有的头上
长着红缨，有的全身布满彩色的条
纹，有的背上像插着一把把扇子。
它们在水里游来游去，好看极了。

小云：星期天，我也让妈妈带我去水族馆。

我让妈妈带我去水族馆。

物	族	馆	洋	龙	各	最	满	纹	背	扇
		(館)		(龍)			(满)	(紋)		

练习
（liàn xí）

一、比一比，读一读，再口头组词语。
（bǐ yì bǐ，dú yì dú，zài kǒu tóu zǔ cí yǔ）

文 — 纹　　北 — 背　　木 — 杰

羊 — 洋　　壮 — 装　　羽 — 扇

二、读词语。
（dú cí yǔ）

海洋　动物　龙虾　扇子　水族馆

布满　条纹　哪些　那些　各种各样
　　　　　　（xiē）

三、连起来读一读。
（lián qǐ lái dú yì dú）

彩色的 —— 条纹
　　　　　　照片
　　　　　　图画

各种各样的 —— 鱼
　　　　　　　鸟
　　　　　　　花

四、读句子，想想每组两句话的意思有什么不同。

　　鱼在水里游来游去。

　　我看见鱼在水里游来游去。

　　妈妈带我去水族馆。

　　我让妈妈带我去水族馆。

五、读句子，说句子。

　　我让妈妈带我去水族馆。

　　妈妈让我自己收拾房间。

　　汤姆叫大卫当守门员。

　　_____让爸爸教我画画。

　　_____叫_____朗读课文。

　　_____让_____ _____。

24 大熊猫

大熊猫是一种可爱的动物。它身体胖胖的，尾巴短短的，全身的毛又厚又光滑。它的头和身子是白的，四肢、肩膀和耳朵是黑的。两个眼圈也是黑的，就像戴着一副大墨镜。

大熊猫白天爱抱着脑袋呼呼地睡大觉，睡醒了就扭动着肥胖的身子爬上爬下。它最喜欢吃的食物是鲜嫩的竹叶和竹笋。

大熊猫是中国的"国宝"。中国还把它作为礼物送给美国。

大熊猫身体胖胖的。

胖	短	厚	耳	朵	黑	副	镜	肥	食	礼

(鏡)　　　(禮)

练习 liàn xí

一、先说偏旁名称，再说出几个带有下面偏旁的字。

刂	厂	月	衤

二、读词语。dú cí yǔ

中国　礼物　耳朵　身子　一副

美国　食物　脑袋　肥胖　墨镜 mò

三、看图，读一读。kàn tú dú yì dú

长——短

猴子尾巴长。

兔子尾巴短。tù

黑——白

衣架上挂着一顶白帽子。mào

桌子上放着一个黑皮包。

四、连起来读一读。
lián qǐ lái dú yì dú

身体 —— 胖
身体 —— 好
身体 —— 健壮

尾巴 —— 短
尾巴 —— 漂亮
尾巴 —— 又细又长
xì

五、组成句子读一读。
zǔ chéng jù zi dú yì dú

1 非常　大熊猫　我　喜欢
xióng māo

2 竹叶　竹笋　吃　大熊猫　爱　和
sǔn

六、读句子，说句子。
dú jù zi　shuō jù zi

大熊猫身体胖胖的。
dà xióng māo shēn tǐ pàng pàng de

孔雀尾巴漂亮。
kǒng què wěi ba piào liang

猴子身体灵活。
hóu zi shēn tǐ líng huó

_____脸红了。
liǎn hóng le

汤姆身体_____。
tāng mǔ shēn tǐ

_____。

25 泼水节
pō shuǐ jié

huǒ hóng de fèng huáng huā kāi le　　　dǎi zú rén mín de pō
火红的凤凰花开了，傣族人民的泼

shuǐ jié dào le
水节到了。

zǎo chén　　　rén men qiāo qǐ xiàng jiǎo gǔ　　　cóng sì miàn bā
早晨，人们敲起象脚鼓，从四面八

fāng lái dào jiāng biān　　jiāng àn de kòng chǎng shàng sǎ mǎn le fèng huáng
方来到江边。江岸的空场上撒满了凤凰

huā de huā bàn　　hǎo xiàng pū shàng le xiān hóng de dì tǎn　　　yì tiáo
花的花瓣，好像铺上了鲜红的地毯。一条

tiáo lóng chuán chuān guò jiāng miàn　yí chuàn chuàn huā pào fēi xiàng kōng zhōng
条 龙 船 穿 过 江 面，一 串 串 花 炮 飞 向 空 中。

　　　　　kāi shǐ pō shuǐ le　　rén men yǒu de duān zhe chéng mǎn qīng
　　开 始 泼 水 了。人 们 有 的 端 着 盛 满 清

shuǐ de yín wǎn　yòng bǎi shù zhī zhàn le shuǐ　sǎ zài bié rén shēn
水 的 银 碗，用 柏 树 枝 蘸 了 水，洒 在 别 人 身

shàng　yǒu de yòng pén chéng mǎn qīng shuǐ　hù xiāng pō sǎ　hù xiāng
上，有 的 用 盆 盛 满 清 水，互 相 泼 洒，互 相

zhù fú
祝 福。

> 一 条 条 龙 船 穿 过 江 面。

泼	象	岸	串	炮	始	碗	枝	洒	互	相
(潑)								(灑)		

练 习
lián xí

一、比一比，说一说。
bǐ yì bǐ　shuō yì shuō

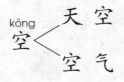

目	西	包	发
相	洒	炮	泼

"目"字左边加上"木字旁"，是"互相"的"相"。

二、读一读，记一记。
dú yì dú　jì yí jì

空 kōng 〈 天空 / 空气

空 kòng 〈 空场 / 空地

三、读词语。
dú cí yǔ

开始　　祝福　　互相　　泼水节　　一条条龙船

鲜红　　好像　　别人　　四面八方　　一串串花炮

四、lián qǐ lái dú yì dú
连起来读一读。

一片片 〈 树叶
　　　　　雪花

一只只 〈 hú dié 蝴蝶
　　　　　mǎ yǐ 蚂蚁

五、dú yì dú
读一读。

互	互相	人们互相祝福。
始	开始	篮球比赛开始了。
象	大象	这头大象有两米多高。
枝	树枝	树枝上开满了凤凰花。（fèng huáng）

六、dú jù zi，shuō jù zi
读句子，说句子。

yì tiáo tiáo lóng chuán chuān guò jiāng miàn
一条条龙船穿过江面。

yí chuàn chuàn huā pào fēi xiàng kōng zhōng
一串串花炮飞向空中。

yì kē kē xīng xing shǎn shǎn fā liàng
一颗颗星星闪闪发亮。

yú zài hé lǐ yóu lái yóu qù
＿＿＿＿鱼在河里游来游去。

zài kōng zhōng fēi wǔ
＿＿＿＿　＿＿＿＿在空中飞舞。

＿＿＿＿　＿＿＿＿　＿＿＿＿＿＿＿。

26 世界屋脊的主人

大卫：小云，画片上穿着漂亮衣服的是中国人吗？

小云：是中国的藏族人。他们生活在海拔三四千米的青藏高原上，是世界屋脊的主人。

大卫：他们的生活一定很特别吧？

小云：是的。听爸爸说，藏族人说藏语，信佛教，过自己的节日。他们热情好客，远方的客人到来时，总要献上洁白的哈达，送上香喷喷的酥油茶。

大卫：酥油茶好喝吗？

小云：听说味道不错，喝了它还能驱寒抗冻呢。

他们的生活一定很特别吧？

屋	主	特	信	情	总	洁	茶	错	冻

（總）（潔）　　（錯）（凍）

liàn xí
练 习

bǐ yì bǐ　dú yì dú　zài kǒu tóu zǔ cí yǔ
一、比一比，读一读，再口头组词语。

特别　诗人

主—柱—注　　特—诗

青—情—清　　错—借

zhào yàng zi lián qǐ lái dú yì dú
二、照样子连起来读一读。

	sū			fu
洁白的	酥油茶	生活	漂亮
	hǎ dá		
远方的	哈达	衣服	不错
pēn			
香喷喷的	客人	味道	幸福

zǔ chéng jù zi dú yì dú
三、组成句子读一读。

1 味道　的　酥油茶 sū　不错

2 生活　很　藏族人 zàng　特别　的

四、读句子。
<small>dú jù zi</small>

照片上的人就是藏族人。
<small>zàng</small>

主人把哈达献给客人。
<small>hǎ dá xiàn</small>

爸爸去过青藏高原。

五、读句子，说句子。
<small>dú jù zi   shuō jù zi</small>

他们的生活一定很特别吧？
<small>tā men de shēng huó yí dìng hěn tè bié ba</small>

藏族人一定十分好客吧？
<small>zàng zú rén yí dìng shí fēn hào kè ba</small>

水族馆里的鱼很多吧？
<small>shuǐ zú guǎn lǐ de yú hěn duō ba</small>

烤肉的味道_____吧？
<small>kǎo ròu de wèi dào   ba</small>

_____很好看吧？
<small>hěn hǎo kàn ba</small>

_____吧？
<small>ba</small>

27 北极的因纽特人

小云：大卫，你知道因纽特人怎样生活吗？

大卫：知道一些。因纽特人生活在北极，爱吃海豹肉，还爱穿兽皮做的衣服。

小云：海豹是怎样捉到的？

大卫：这我不知道。

杰克：我知道。他们在冰上凿个洞，海豹从洞里探出头来呼吸，他们就把它扎死，拖上岸。

小云：北极那么冷，他们住什么样的房子呢？

大卫：他们住在用冰块垒成的房子里。

杰克：我从一本书里看到，因纽特人不是都住冰房子，他们有的住木板房和石头房子。

因纽特人生活在北极。

些	豹	兽	服	探	呼	吸	拖	冷	块

（獸）　　　　　　　　　　　　　　　　（塊）

^{lián} ^{xí}
练 习

^{kàn shēng diào fú hào}　^{dú zhǔn zì yīn}
一、看 声 调 符 号，读 准 字 音。

　　ˉ ˉ　　　　ˊ ˊ　　　　ˇ ˊ　　　　ˋ ˋ

　　呼 吸　　　洁 白　　　北 极　　　看 到

　　歌 声　　　龙 船　　　火 红　　　画 片

　　中 秋　　　连 忙　　　美 国　　　快 乐

^{bǐ yì bǐ}　^{dú yì dú}　^{shuō shuo zěn yàng jì běn kè de shēng zì}
二、比 一 比，读 一 读，说 说 怎 样 记 本 课 的 生 字。

块——快　　服——报

吸——极　　探——深

^{dú cí yǔ}
三、读 词 语。

木板　　冰块　　衣服　　北极

海豹　　兽皮　　一些　　怎样

四、读句子。
dú jù zi

妈妈买的衣服很漂亮。

因纽特人的生活很特别吧？
yīn niǔ

他们住的房子是用冰块垒成的。
lěi

五、读句子，说句子。
dú jù zi　shuō jù zi

因纽特人生活在北极。
yīn niǔ tè rén shēng huó zài běi jí

清水洒在人们的身上。
qīng shuǐ sǎ zài rén men de shēn shàng

猴子蹲在树上。
hóu zi dūn zài shù shàng

_____住在竹楼里
zhù zài zhú lóu lǐ

爸爸坐在_____。
bà ba zuò zài

_____站在_____。
zhàn zài

六、简单说说因纽特人在哪儿生活，吃什么，
jiǎn dǎn shuō shuo yīn niǔ tè rén zài nǎ er shēng huó　chī shén me

穿什么，住什么。
chuān shén me　zhù shén me

28 小猫种鱼

xiǎo māo zhòng yú
小 猫 种 鱼

nóng mín bǎ yù mǐ
农 民 把 玉 米
zhòng zài dì lǐ dào le
种 在 地 里 。 到 了
qiū tiān shōu le hěn duō
秋 天 , 收 了 很 多
yù mǐ
玉 米 。

nóng mín bǎ huā shēng
农 民 把 花 生
zhòng zài dì lǐ dào le
种 在 地 里 。 到 了
qiū tiān shōu le hěn duō
秋 天 , 收 了 很 多
huā shēng
花 生 。

xiǎo māo kàn jiàn le　　　bǎ xiǎo yú zhòng zài dì lǐ　　tā
小猫看见了，把小鱼种在地里。它
xiǎng dào le qiū tiān　　yí dìng huì shōu dào hěn duō xiǎo yú
想，到了秋天，一定会收到很多小鱼。

农民把玉米种在地里。

猫	民	玉	米	想

(貓)

练 习
lián xí

一、读一读，记一记。
dú yì dú jì yí jì

zhǒng
种 〈 一种
各种各样

zhòng
种 〈 种玉米
种花生

二、读词语。
dú cí yǔ

农民　小猫　秋天　收玉米
看见　很多　一定　收花生

三、连起来读一读。
lián qǐ lái dú yì dú

　　　　画 ── 贴在墙上
把 〈　　碗 ── 放在桌子上
　　　　书包 ── 挂在衣架上

四、读句子。
^{dú jù zi}

农民到地里收花生。

爸爸让我给妈妈打电话。

你给我讲个故事好吗？
^{gù}

五、读句子，说句子。
^{dú jù zi} ^{shuō jù zi}

^{nóng mín bǎ yù mǐ zhòng zài dì lǐ}
农民把玉米种在地里。

^{dà wèi bǎ bǐ fàng zài wén jù hé lǐ}
大卫把笔放在文具盒里。

^{lǎo shī bǎ shū fàng zài zhuō zi shàng}
老师把书放在桌子上。

^{nǐ bǎ yī fu zài}
你把衣服 __ 在＿＿＿＿。

^{mā ma bǎ zài}
妈妈把＿＿ __ 在＿＿。

^{bǎ zài}
＿＿＿把＿＿ __ 在＿＿＿。

29 小猴子下山
xiǎo hóu zi xià shān

yǒu yì tiān， xiǎo
有一天，小
hóu zi xià shān lái。 tā
猴子下山来。它
zǒu dào yì kē táo shù dǐ
走到一棵桃树底
xià， kàn jiàn shù shàng de
下，看见树上的
táo zi yòu dà yòu hóng，
桃子又大又红，

jiù pá shàng shù qù zhāi táo zi
就爬上树去摘桃子。

xiǎo hóu zi pěng zhe jǐ gè táo zi， zǒu dào yí piàn guā
小猴子捧着几个桃子，走到一片瓜
dì lǐ。 tā kàn jiàn dì
地里。它看见地
lǐ de xī guā yòu dà yòu
里的西瓜又大又
yuán， jiù rēng le táo zi，
圆，就扔了桃子，
qù zhāi xī guā。
去摘西瓜。

120

xiǎo hóu zi bào
小　猴　子　抱
zhe dà xī guā wǎng huí
着　大　西　瓜　往　回
zǒu 。 zǒu zhe zǒu zhe ，
走　。　走　着　走　着，
tā kàn jiàn yì zhī xiǎo
它　看　见　一　只　小
tù er bèng bèng tiào tiào
兔　儿　蹦　蹦　跳　跳

de ， zhēn kě ài ， jiù rēng le xī guā ， qù zhuī xiǎo tù
的　，　真　可　爱　，　就　扔　了　西　瓜　，　去　追　小　兔
er
儿　。

xiǎo tù er pǎo
小　兔　儿　跑
jìn shù lín lǐ ， bú
进　树　林　里　，　不
jiàn le xiǎo hóu zi
见　了　。　小　猴　子
zhǐ hǎo kōng zhe shǒu huí
只　好　空　着　手　回
jiā qù
家　去　。

小猴子抱着大西瓜往回走。

桃	底	摘	捧	瓜	扔	抱	兔	蹦	追	林

练习 liàn xí

一、比一比，说说怎样记本课的生字。
bǐ yì bǐ shuō shuo zěn yàng jì běn kè de shēng zì

木——林　　桃——跳

包——抱　　捧——棒

二、看一看，记一记。
kàn yí kàn jì yí jì

瓜	㇓	厂	爪	瓜	瓜	
追	㇒	亻	卢	卢	自	自	追

三、读词语。
dú cí yǔ

摘桃子　　一个桃子　　蹦蹦跳跳

抱西瓜　　一片瓜地　　又大又红

追小兔　　一只小兔　　又大又圆

四、<ruby>读<rt>dú</rt></ruby> <ruby>句<rt>jù</rt></ruby> <ruby>子<rt>zi</rt></ruby>，<ruby>注<rt>zhù</rt></ruby> <ruby>意<rt>yì</rt></ruby> <ruby>标<rt>biāo</rt></ruby> <ruby>点<rt>diǎn</rt></ruby> <ruby>的<rt>de</rt></ruby> <ruby>用<rt>yòng</rt></ruby> <ruby>法<rt>fǎ</rt></ruby>。

你学过《小猫种鱼》这<ruby>篇<rt>piān</rt></ruby>课文吗？

今天是农历五月初五——中国的端午节。

桌子上摆着苹果、桃子、香<ruby>蕉<rt>jiāo</rt></ruby>和饼干。

五、<ruby>读<rt>dú</rt></ruby> <ruby>句<rt>jù</rt></ruby> <ruby>子<rt>zi</rt></ruby>，<ruby>说<rt>shuō</rt></ruby> <ruby>句<rt>jù</rt></ruby> <ruby>子<rt>zi</rt></ruby>。

<ruby>小<rt>xiǎo</rt></ruby> <ruby>猴<rt>hóu</rt></ruby> <ruby>子<rt>zi</rt></ruby> <ruby>抱<rt>bào</rt></ruby> <ruby>着<rt>zhe</rt></ruby> <ruby>大<rt>dà</rt></ruby> <ruby>西<rt>xī</rt></ruby> <ruby>瓜<rt>guā</rt></ruby> <ruby>往<rt>wǎng</rt></ruby> <ruby>回<rt>huí</rt></ruby> <ruby>走<rt>zǒu</rt></ruby>。

<ruby>小<rt>xiǎo</rt></ruby> <ruby>云<rt>yún</rt></ruby> <ruby>背<rt>bēi</rt></ruby> <ruby>着<rt>zhe</rt></ruby> <ruby>书<rt>shū</rt></ruby> <ruby>包<rt>bāo</rt></ruby> <ruby>去<rt>qù</rt></ruby> <ruby>上<rt>shàng</rt></ruby> <ruby>学<rt>xué</rt></ruby>。

<ruby>丹<rt>dān</rt></ruby> <ruby>尼<rt>ní</rt></ruby> <ruby>拉<rt>lā</rt></ruby> <ruby>着<rt>zhe</rt></ruby> <ruby>风<rt>fēng</rt></ruby> <ruby>筝<rt>zheng</rt></ruby> <ruby>线<rt>xiàn</rt></ruby> <ruby>向<rt>xiàng</rt></ruby> <ruby>前<rt>qián</rt></ruby> <ruby>跑<rt>pǎo</rt></ruby>。

＿＿＿＿<ruby>拿<rt>ná</rt></ruby> <ruby>着<rt>zhe</rt></ruby> <ruby>球<rt>qiú</rt></ruby> <ruby>拍<rt>pāi</rt></ruby> <ruby>往<rt>wǎng</rt></ruby> <ruby>学<rt>xué</rt></ruby> <ruby>校<rt>xiào</rt></ruby> <ruby>走<rt>zǒu</rt></ruby>。

<ruby>爸<rt>bà</rt></ruby> <ruby>爸<rt>ba</rt></ruby> <ruby>领<rt>lǐng</rt></ruby> <ruby>着<rt>zhe</rt></ruby> <ruby>妹<rt>mèi</rt></ruby> <ruby>妹<rt>mei</rt></ruby>＿＿＿＿＿＿。

＿＿＿＿＿＿＿＿＿＿。

123

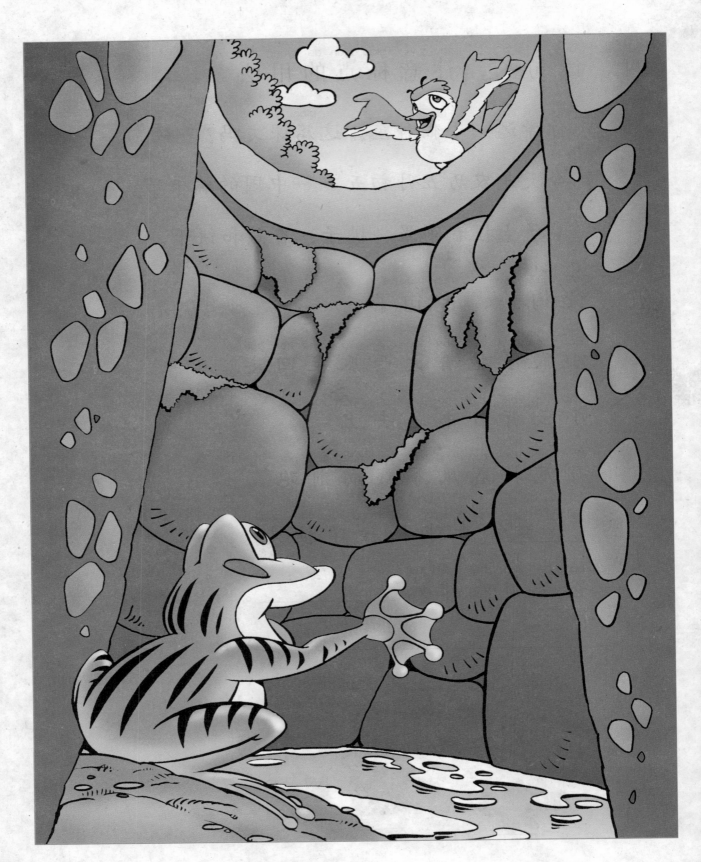

30 坐井观天

青蛙坐在井里。小鸟飞来，落在井沿上。

青蛙问小鸟："你从哪儿来呀？"

小鸟回答说："我从天上来，飞了一百多里，口渴了，下来找点水喝。"

青蛙说："朋友，别说大话了！天不过井口那么大，还用飞那么远吗？"

小鸟说："你弄错了。天无边无际，大得很哪！"

青蛙笑了，说："朋友，我天天坐在井里，一抬头就看见天。我不会弄错的。"

小鸟也笑了，说："朋友，你是弄错了。不信，你跳出井来看一看吧。"

天大得很。

井	沿	渴	找	喝	弄	无	际	抬

（無）（際）（擡）

练习

一、比一比，读一读，再口头组词语。

口渴 喝水

天—无 　　 找—我

开—井 　　 渴—喝

二、读一读。

井　井口　井沿 　　　 找　找人　找东西

喝　喝水　喝牛奶 　　　 弄　弄错了　弄坏了

三、读意思相反的词。

对 — 错 　　　 呼 — 吸

冷 — 热 　　　 进 — 出

四、读句子。
dú jù zi

小鸟从天上飞下来，落在井沿上。

我一学青蛙叫，就把妹妹逗笑了。

小鸟在空中一边飞，一边不停地叫。

五、读句子，说句子。
dú jù zi shuō jù zi

天 大 得 很 。
tiān dà de hěn

我 渴 得 很 。
wǒ kě de hěn

天 气 热 得 很 。
tiān qì rè de hěn

这 条 河 ＿＿＿ 得 很 。
zhè tiáo hé de hěn

＿＿＿＿＿ 得 很 。
de hěn

学 校 的 操 场 ＿＿＿ 。
xué xiào de cāo chǎng

综合练习二

一、用部首查字法查下面的字，再照样子说一说。

钩，查金字旁部，再查4画，在字典的155页。

骑，查____部，再查____画，在字典的____页。

盆，查____部，再查____画，在字典的____页。

姐，查____部，再查____画，在字典的____页。

二、比一比，读一读，再口头组词语。

请—清—情　　　注—住—柱

治—始—抬　　　孩—该—刻

三、读一读，记一记。

了 —— 完了

了 —— 了不起

好 —— 好玩

好 —— 好客

想一想，你学过哪些多音字。

四、连起来读一读。

非常 < 幸福
　　　　热情

鲜红的 < 地毯(tǎn)
　　　　太阳

立刻 < 停住了
　　　　跑过去

鲜艳的 < 羽毛
　　　　服装

五、组成句子读一读。

1 准备 我 去 旅游 黄山

2 爸爸 扇子 走 被 拿 了

3 桌子 桃 把 放在 我 上

六、读句子，注意标点的用法。

这座山真高啊！

海伦(lún)大声喊："小云——你在哪儿——"

动物园里有老虎(hǔ)、大象、狗熊(xióng)和猴子。

七、读句子，想想意思。
（dú jù zi xiǎng xiǎng yì si）

天上飘着云。　　　　　　爸爸是医生。

天上飘着白云。　　　　　爸爸是外科医生。

天上飘着一朵朵白云。　　爸爸是著名的外科医生。

八、读句子，再仿照句子各说一句话。
（dú jù zi zài fǎng zhào jù zi gè shuō yí jù huà）

那条船有五米多长。

＿＿＿＿有＿＿＿＿＿。

大卫给我一个桃子。

＿＿＿给＿＿＿＿＿＿＿。

妈妈让我给客人拿果汁。

＿＿＿让＿＿＿＿＿＿＿。

九、读一读。
（dú yì dú）

春雨沙沙地落到草地上……
（chūn yǔ shā shā de luò dào cǎo dì shàng）

几只小鸟在屋檐下躲雨，他们在
（jǐ zhī xiǎo niǎo zài wū yán xià duǒ yǔ tā men zài）

争论一个问题：雨是什么颜色的？
（zhēng lùn yí gè wèn tí yǔ shì shén me yán sè de）

燕子说：“雨是绿色的。落在草地上，草地绿了。”麻雀说：“雨是红色的。洒在桃树上，桃花红了。”黄莺说：“雨是黄色的。落在油菜地里，油菜花黄了。”

春雨听到他们的争论，说：“我是没有颜色的。可是，我能给春天的大地带来万紫千红。”

生 字 表

1　作 zuò　品 pǐn　假 jià　照 zhào　片 piàn　举(舉) jǔ
　　展 zhǎn　览(覽) lǎn　交 jiāo　让(讓) ràng

2　借 jiè　架 jià　摆(擺) bǎi　许(許) xǔ　猴 hóu　变(變) biàn
　　败(敗) bài　领(領) lǐng　啦 la　完 wán

3　贴(貼) tiē　幅 fú　纸(紙) zhǐ　图(圖) tú　形 xíng　选(選) xuǎn
　　按 àn　板 bǎn　压(壓) yā　布 bù

4　汤(湯) tāng　赛(賽) sài　剩 shèng　度 dù　横 héng　杆 gǎn
　　升(昇) shēng　呀 yā　棒 bàng

5　网(網) wǎng　球 qiú　您 nín　发(發) fā　灵(靈) líng　救 jiù
　　险(險) xiǎn　常 cháng　把 bǎ　咱 zán

6　篮(籃) lán　播 bō　湖 hú　芝 zhī　哥 gē　穿 chuān
　　跳 tiào　扣 kòu　漂 piào

7　飘(飄) piāo　望 wàng　稻 dào　田 tián　黄 huáng　落 luò
　　爬 pá　运(運) yùn　报(報) bào　赶(趕) gǎn

8	shēng 声（聲）	gāng 刚（剛）	shì 事	jìn 进（進）	shān 山	lì 立
	kè 刻	yīn 音	bèi 被	dǎng 挡（擋）	cháo 朝	
9	shǔ 数（數）	lún 轮（輪）	shù 树（樹）	zhuāng 桩（樁）	kē 棵	quān 圈
	liú 留					
10	qí 奇	shí 石	zhù 著	qū 区（區）	guài 怪	fēi 非
	qù 趣	dǐng 顶（頂）	pán 盘（盤）	fēng 峰	hǎi 海	
11	liàng 量	zhǔn 准（準）	bèi 备（備）	qún 群	shōu 收	jí 集
	chā 差	ān 安	kuān 宽（寬）	jù 巨（鉅）	guà 挂（掛）	
12	kē 科	jiǎng 讲（講）	shēn 深	zhuàng 壮（壯）	guān 观（觀）	lòu 露
	dàn 但	zhuàng 状（狀）	zhù 柱	zhí 值		
13	luàn 乱（亂）	shí 拾	huàn 换	chuáng 床（牀）	zhuō 桌	zhěng 整
	chén 尘（塵）	qīng 清	chú 除	huī 灰		
14	bān 搬	bàn 半	jiàn 建	kè 客	tīng 厅（廳）	zhì 置
	lóu 楼（樓）	fáng 房	jiān 间（間）	jiàn 健	shì 室	
15	yè 夜	mèi 妹	zhī 之	huǒ 火	páng 旁	gǔ 鼓
	zhǎng 掌	dòu 逗	jiǔ 久	xiū 休	xī 息	

16	lǚ 旅	biàn 遍	shì 世	jiè 界	yǔ 宇	háng 航
	dēng 登	bié 别	xiàng 像			
17	yě 野	kǎo 烤	shú 熟	rè 热(熱)	gǒu 狗	píng 苹(蘋)
	pài 派	zhì 治	lā 拉	cháng 尝(嘗)	què 确(確)	
18	fù 附	hé 河	jiǎo 脚	wèi 位	lián 连(連)	máng 忙
	liǎn 脸(臉)	guān 关(關)	xì 系(係)	bāng 帮(幫)	lāo 捞(撈)	
19	duān 端	lì 历(歷)	chū 初	jiāng 江	hái 孩	tíng 停
	hǎn 喊	yóu 油	jì 纪(紀)	niàn 念	shī 诗(詩)	
20	bǐng 饼(餅)	yuán 圆(圓)	lí 离(離)	qīn 亲(親)	pàn 盼	hù 户
	tuán 团(團)	xìng 幸	fú 福			
21	wàn 万(萬)	shèng 圣(聖)	qiǎo 巧	kè 克	táng 糖	dài 袋
	zhuāng 装(裝)	jié 杰(傑)	xiāng 香	zhù 祝		
22	yàn 艳(艷)	zuǐ 嘴	dài 带(帶)	gōu 钩(鈎)	yǎng 养(養)	jīng 经(經)
	xùn 训(訓)	liàn 练(練)	shì 试(試)			
23	wù 物	zú 族	guǎn 馆(館)	yáng 洋	lóng 龙(龍)	gè 各
	zuì 最	mǎn 满(滿)	wén 纹(紋)	bèi 背	shàn 扇	

24	pàng 胖	duǎn 短	hòu 厚	ěr 耳	duǒ 朵	hēi 黑
	fù 副	jìng 镜(鏡)	féi 肥	shí 食	lǐ 礼(禮)	
25	pō 泼(潑)	xiàng 象	àn 岸	chuàn 串	pào 炮	shǐ 始
	wǎn 碗	zhī 枝	sǎ 洒(灑)	hù 互	xiāng 相	
26	wū 屋	zhǔ 主	tè 特	xìn 信	qíng 情	zǒng 总(總)
	jié 洁(潔)	chá 茶	cuò 错(錯)	dòng 冻(凍)		
27	xiē 些	bào 豹	shòu 兽(獸)	fú 服	tàn 探	hū 呼
	xī 吸	tuō 拖	lěng 冷	kuài 块(塊)		
28	māo 猫(貓)	mín 民	yù 玉	mǐ 米	xiǎng 想	
29	táo 桃	dǐ 底	zhāi 摘	pěng 捧	guā 瓜	rēng 扔
	bào 抱	tù 兔	bèng 蹦	zhuī 追	lín 林	
30	jǐng 井	yán 沿	kě 渴	zhǎo 找	hē 喝	nòng 弄
	wú 无(無)	jì 际(際)	tái 抬(擡)			

(共298字)

词 语 表

1	作品 假期 照片 举办 展览 交 以前 拿来 展出 家长 太 让
2	借 书架 摆着 许多 猴子 变 打败 本领 啦 完
3	贴 幅 活 纸 图形 选 按 板 压 只能 布 回家
4	过去 比赛 剩下 高度 横杆 升 呀 棒
5	网球 您 发球 灵活 跑动 救 常常 把 球拍 咱们
6	篮球 电视 正在 播放 芝加哥 穿 球衣 跳 扣 动作 漂亮

7	那么 飘 白云 望 边 稻田 一片片 黄 爬
	落叶 来回 当作 运动场 那边 一边……一边
	电报 赶快 南方
8	回声 刚才 发生 事 进 山洞 声 立刻 传出
	同样 声音 说话 被 挡 回来 这么 朝 对面
9	数 年轮 树桩 干什么 棵 树 圈 树木 树干
	留下
10	黄山 著名 风景区 怪 非常 有趣 山顶
	石头 盘 山峰 山头 正 云海
11	有名 量 准备 放假 群 十分 收集 落差 宽
	巨大 挂 空中
12	讲 深 壮观 露 不但 形状不同 石柱 值得
13	乱 收拾 打开 换 床 桌子 东西 整齐 清除

	灰尘　变样
14	搬　半年　刚刚　建　客厅　布置　楼里　房间 不少　楼下　健身房　楼上　书房　领　楼房
15	过夜　夜空　妹妹　火　旁　鼓掌　逗　直　久 休息　发现　客人
16	歌手　歌星　旅行家　遍　世界　宇航员　月球 旅行　登上　别的　星球　了不起　也许　像
17	烤　熟　汤　热狗　苹果派　三明治　沙拉　尝 的确　好吃　鲜
18	足球　变成　附近　小河　河边　空地　一脚 一位　先生　大声　连忙　脸　对不起　没关系 帮　捞　高高兴兴
19	端午节　农历　初五　江　湖　孩子　欢欢喜喜

不停 喊 加油 为了 纪念 诗人

20	月饼 节日 月亮 圆 中秋 传说 远离 亲人
	可是 以后 盼望 人间 家家户户 团圆 幸福
21	万圣节 巧克力 糖果 口袋 糖 后来 装 好多
	口香糖 祝 快乐 四处
22	鲜艳 嘴 带 钩 养 听说 不过 经过 训练 试
23	动物 水族馆 海洋 哪些 龙虾 各种各样 最
	那些 有的 布满 彩色 条纹 背上 扇子 它们
24	胖 短 厚 身子 耳朵 黑 眼圈 一副 白天
	脑袋 肥胖 食物 国宝 作为 礼物 美国
25	泼水节 火红 开 鼓 四面八方 岸 好像 鲜红
	一串串 花炮 开始 端着 碗 树枝 别人 互相
	泼洒 祝福

26	主人 画片 生活 高原 特别 信 热情 好客 远方 总 洁白 茶 不错 冻
27	北极 怎样 一些 海豹 兽皮 衣服 呼吸 拖 冷 房子 冰块 木板
28	猫 种 农民 玉米 花生 想
29	底下 桃子 摘 捧 西瓜 扔 抱 蹦 蹦蹦跳跳 追 树林 只好
30	坐井观天 井 井沿 回答 渴 找 喝 大话 弄错 无边无际 抬头

常用部首名称表

部首	名称	部首	名称
一画		儿	儿部
一	横部	二	点横部
亅	竖部	冫	两点水部
丿	撇部	冖	秃宝盖部
丶	点部	讠	言字旁部
乙（一 乛 し）	乙部	卩	单耳部
二画		阝	双耳部
二	二部	刀	刀部
十	十部	力	力部
厂	厂部	厶	厶(sī)部
匚	三框	又	又部
刂	立刀部	廴（巳）（勹）（又）	建之部
卜（卜）	卜部	三画	
冂	同字框	工	工部
亻	单立人部	土	土部
八（八）	八字头部	士	士部
人（人）	人部	扌	提手部
勹	包字头部	艹	草字头部
几（几）	几部	大	大部
		小（⺌）	小部

部　首	名　称	部　首	名　称
口	部		
口	方框部	四画	
巾	巾部		王部
山	山部	王	木部
彳	双人部	木	车部
彡	三撇部	车	戈部
犭	反犬部	戈	日部
夕	夕部	日	曰(yuē)部
夂	折文部	曰	水部
饣	食字旁部	水	贝部
广	广部	贝	见部
忄	竖心部	见	牛部
门	门部	牛	手部
氵	三点水部	手	气部
宀	宝盖部	气	反文部
辶	走之部	攵	斤部
尸	尸部	斤	爪部
己(巳)	己部	爪	父部
弓	弓部	父	月部
子(孑)	子部	月	欠部
女	女部	欠	方部
纟	绞丝部	方	火部
马	马部	火	四点部

部　首	名　称	部　首	名　称
户 衤 心	户部 示字旁部 心部	虍 虫 舌 竹（⺮） 舟 衣 羊（⺷⺶） 米 糸	虎字头部 虫部 舌部 竹部 舟部 衣部 羊部 米部 紧字底部
五画			
石 目 田 四 皿 钅 矢 禾 白 鸟 疒 立 穴 衤	石部 目部 田字头部 四字旁部 金字旁部 矢部 禾部 白部 鸟部 病字旁部 立部 穴部 衣字旁部	**七画**	
		走 酉 足（⻊） 身	走部 酉（yǒu）部 足部 身部
		八画	
		青 雨（⻗） 隹 鱼	青部 雨部 隹（zhuī）部 鱼部
六画		**九画**	
耳 西（覀） 页	耳部 西部 页部	革	革部

贝 壳 之 歌

荷兰儿歌

1. 大 海 边 可 爱 的 贝　　壳 哟，
2. 大 海 边 可 爱 的 贝　　壳 哟，

小 嘴 巴 红 嘴 唇 你 在 唱 什 么？
小 嘴 巴 红 嘴 唇 你 在 唱 什 么？

是 不 是 告 诉 我 几 时 涨 潮？
是 不 是 告 诉 我 鱼 在 哪 里？

春天来到了

朱　勤词
孙志海曲

草　儿　青又青，花儿　笑呀

笑，　柳　树　穿上　穿上　绿衣

袍。　布谷鸟，布谷鸟，布谷布谷

叫，　布谷布谷　春天　来到　了。

布谷，布谷，　春天　来到　了。